중소기업을 위한 베트남 진출 전략

베트남 진출, 정말 준비되어 있나?

박경철 지음

▌ 박경철

2008년 베트남에 진출한 제조기업의 주재원으로 베트남 생활을 시작했다. 현지에서 해외영업, 구매, 인사관리 등 여러 분야의 업무를 경험했다. 현재는 KOTRA 호치민 무역관 글로벌 스탭으로 일하면서 중소기업의 베트남 진출을 지원하고 있다. 경희 대학교 법과대학을 졸업하였으며 2017년에 베트남 호치민 법과대학 대학원에서 경제법 석사학위를 취득하였다.

중소기업을 위한
베트남 진출 전략

베트남 진출 정말 준비되어 있나

박경철 지음

차 례

머리말

지피지기(知彼知己)가 없는 성공은 없다.

1992년 대한민국과 베트남의 수교 이후, 우리 기업들은 대 베트남 진출의 첫걸음을 내디뎠다. 2007년 베트남의 WTO 가입 전후, 해외 기업들은 본격적으로 베트남 시장에 진출하기 시작했고 그중에는 수많은 우리 중소기업도 있었다. 그러나 20년이라는 시간이 흘렀음에도 불구하고, 베트남 진출에 성공한 중소기업은 그리 많지 않다. 이는 다양한 이유가 있겠지만, 그 중에서도 가장 큰 원인은 중소기업의 '준비 부족'에서 기인한다. 실패한 기업들은 베트남 시장에 대한 정보를 얻는데 소홀했고 자사의 단점을 보완하지 않았다. 경쟁사의 동향과 자사의 장단점을 객관적으로 분석하지 않았고 시장에 적합한 전략을 세우지 못했다. 다시 말해, 그들은 베트남 진출이 실패할 수밖에 없는 조건들을 갖추고 있었다. 그래서 중국의 유명한 병법가 손무가 기록한 손자병법에 담긴 "지피지기면 백전불태"의 명언은 현재 기업들에게는 꼭 필요한 내용이다. 만약 우리 기업들이 이 명언을 그들의 사업에 적용한다면, 베트남뿐만 아니라 다른 시장에서도 최소한 위험을 피할 수 있을 것이다.

책을 읽기 전에 ...

이 책은 원래 베트남 진출 계획을 가진 중소기업 경영진과 개인 투자자를 위해 제작되었지만, 베트남 시장뿐만 아니라 다른 해외 시장 진출에도 유용하게 활용할 수 있습니다. 중소기업 경영진과 개인 투자자들이 이 책을 효과적으로 활용하기 위해 아래의 내용을 참고하고 책을 읽어보시기를 권장합니다:

- 잘 알려지지 않은 베트남 시장의 특성을 살펴보았습니다.

- 베트남 시장에서 실패한 중소기업들의 사례를 분석하려고 노력했습니다.

- 쉼터에 나오는 사례들은 모두 실제 사례이며 정보보호를 위해 내용을 각색했습니다.

- 중소기업들의 시장 진출 실패 원인을 객관적으로 분석하려고 노력했습니다.

- 실패 원인을 파악하고 대응 방안을 제안했습니다.

다른 기업의 성공 사례를 모방하는 것은 성공 가능성을 높이는 좋은 방법이지만, 잘 알려지지 않은 실패 사례를 통해 중소기업 경영진과 개인 투자자가 '반면교사'로 삼는 것도 성공에 도움이 되는 방법 중 하나입니다. 그러나 이 책의 내용이 결코 정답이 아니며 실제 상황은 더 다양하고 복잡하다는 점을 고려하시기 바랍니다. 필자가 최선을 다해 내용을 작성했지만 부족한 부분이 많을 것 입니다. 이 글이 우리 기업들에게 경각심을 일깨우고, 성공적인 베트남 진출에 조금이라도 도움이 되길 진심으로 기원합니다.

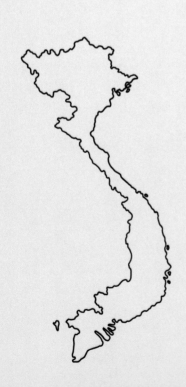

Ⅰ

베트남의 시장 개방과 성장

베트남은 1975년에 통일 이후 자국의 경제성장을 위하여 소련의 계획경제 모델을 채택했다. 그러나 이러한 계획경제 모델은 베트남이 기대했던 산업화와 경제 성장을 촉진하지 못했고 국내 생산성은 급격히 하락했다. 이로 인해 베트남은 대규모 식량 부족까지 겪었다. 더욱이 미국과 서방국가들의 경제제재로 인해 베트남은 국제사회에서 완전히 고립되었고, 경제적으로 어려움을 겪었다.

1986년 베트남은 이러한 어려움을 극복하기 위해 "도이 머이"라는 개혁과 개방 정책을 채택했다. 이 정책은 중국의 개방정책을 벤치마킹하였으며, 내부 개혁의 시작점이었다. 먼저, 농업 부문에서의 개혁이 추진되었고, 국영기업의 부실과 중복을 정리하고 통합하는 과정이 진행되었다. 또한, 계획경제에서 시장경제로의 전환을 시도하여 사회주의 체제를 유지하면서도 시장경제 시스템을 통한 경제 발전을 추구했다.

그러나, 이러한 내부 개혁과 경제 발전을 이루어내기 위해서는 베트남은 꽉 막혀 있던 외교문제를 해결해야 했다. 이를 위해 베트남은 오랜 적대관계에 있던 미국과 1995년 7월 12일 국교를 수립하였고, 2001년에는 미국과 양국 간 무역협정에 합의하여 실질적인 통상 교류를 시작하였다. 또 2007년에는 세계 무역기구(WTO)에 가입하여 국제 무역에 참여하였다. 그 결과 베트남은 2000년부터 2019년까지 연평균 7%의 경제 성장률을 기록하였다. 이런 베트남의 시장 개방 시기에 우리 기업들도 대거 진출하였고 2023년 현재, 대한민국은 대 베트남 투자 순위 1위 국가이며 8천개 이상의 한국 기업이 베트남에서 사업을 영위하고 있다.

쉼터1 베트남의 개혁. 개방정책

1)도입기 (1986년 – 1994년)

제6차 공산당 대회를 통해서 결정된 도이 머이 정책을 추진하기 위한 시장경제체제 도입, 해외 교역 개방, 농업 개혁 등을 위한 제도적 기반을 마련함.

2)전환기 (1995년 – 2006년)

시장개방과 외투기업 투자에 초점을 맞춰 경제성장을 위한 기반을 구축하였으며 국영기업의 민영화를 추진하였으나 결과는 좋지 않은 것으로 평가됨

3)정착기 (2007년 – 현재)

WTO가입(2007년)을 계기로 세계 경제체제에 편입되었고 대외 지향적 성장방식을 취하고 있음.

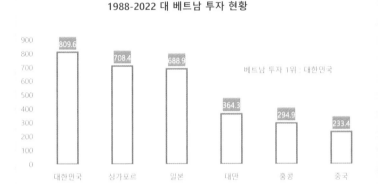

1988-2022 대 베트남 투자 현황

베트남 투자 1위 : 대한민국

표1: 베트남 상공부, 베트남 투자 순위 , 단위: 백만달러

베트남의 경쟁력

해외 기업들은 베트남과 유사한 조건을 가진 다른 동남아 국가
들이 있음에도 불구하고 왜 베트남 투자에 눈길을 돌리는 걸
까? 베트남은 다른 국가들에게 없는 어떤 특별한 경쟁력을 가
지고 있는 것일까? 베트남에 투자에 관심 있는 기업들은 한 번
쯤 생각해 볼 의문들이다. 이러한 의문에 대한 답은 인터넷 검
색을 통해 확인할 수 있다. 자주 이용하는 포털 사이트에서 '베
트남의 경쟁력'을 검색하면 관련 정부 기관이나 전문가들의 분

석 자료를 쉽게 찾아볼 수 있다. 그럼에도 불구하고, 이 책을 읽는 독자를 위해 필자는 베트남의 경쟁력을 몇 가지 살펴보고자 한다. 물론, 이 내용은 다른 자료와 중복될 수 있다. 결론부터 말하자면, 베트남은 다른 동남아 국가들에 비해 충분한 경쟁력을 가지고 있다. 그럼 베트남이 가지고 있는 경쟁력에 대해서 알아 보도록 하자.

1. 해외 기업을 위한 법률 재정비

베트남 정부는 해외 투자를 유치하기 위해 토지법, 투자법, 기업법, 노동법 등 여러 법률을 적극적으로 개선했다. 이러한 노력으로 해외 기업들의 베트남 투자를 방해하던 법률적 문제들이 어느정도 해소됐다. 해외 기업을 위한 우호적인 법률도 마련돼 법인세 면제 및 감면, 외국 노동자의 자유로운 고용 등 해외 기업의 어려움을 해결해 주었다. 대규모 투자를 진행하는 글로벌 기업들에게는 공장 건설에 필요한 토지를 무상으로 제공하거나 시가보다 저렴한 가격으로 제공하기도 했다. 또한 투자 규모나 업종에 상관없이 다양한 혜택을 제공하여 많은 해외 기업들이 베트남으로 진출하게 됐다.

2. 정치적 안정성

베트남은 정치적으로 안정된 국가다. 태국[1]과 같이 쿠데타가 빈번하게 발생하는 국가나 필리핀과 캄보디아 같은 독재국가들과 비교해 보면 베트남의 정치적 안정성은 그 가치가 높다. 해외 기업이 투자를 결정할 때 투자 대상 국가의 정치적 안정성은 중요한 고려 사항 중 하나다. 인프라나 시장 등이 경쟁력이 있더라도 정치적으로 불안정하다면 투자를 진행하는 것은 쉽지 않다. 베트남[2]은 건국 이후 한 번도 쿠데타가 발생한 적이 없으며, 5년마다 실시되는 국가 선거를 통해 정부 지도부를 선출한다. 베트남은 공산당 체제를 갖고 있기 때문에 당내다른 사람이 보직을 맡더라도 정부의 연속성이 보장된다. 외국 기업 입장에서 보면 베트남의 이러한 역사적 배경과 정치체계는 사람이 바뀌더라도 정부가 변하지 않는 매우 안정된 정치 환경을 제공하는 것이다.

---

[1] 태국은 1932년 쿠데타 후 현재까지 19차례 쿠데타가 발생했으며, 가장 최근의 쿠데타는 2014년 5월 20일 발생함.

[2] 베트남 통일 전 남부 베트남 공화국에서 1963년 쿠데타가 발생함.

3. 풍부한 노동 가능 인구와 저렴한 인건비

베트남은 2023년 상반기 기준으로 약 9천9백만 명의 인구를 보유하고 있으며, 2023년 하반기에는 1억 명을 돌파할 것으로 예상된다. 2005년부터 15년간 출산율은 평균 2.0명을 유지하였다. 노동 가능 인구는 5300만 명이 넘는다. 근면한 국민성은 다른 동남아 국가들에 비해서도 크게 뒤지지 않는다. 하지만 노동 생산성[3]은 다른 동남아 국가들에 비해 낮아 개선이 필요하다. 그렇지만 상대적으로 저렴한 인건비[4]는 대규모 노동력이 필요한 외투 기업들에게 매력적이라 할 수 있다. IT 소프트웨어 관련 기업들에게도 베트남은 풍부한 IT 인력의 국가이다. 베트남의 공학 분야 졸업생 수는 연간 약 10만 명으로, 세계 10대 국가 중 하나이며, 254개의 IT교육 프로그램을 제공하는 고등교육기관이 있다. IT 인력의 인건비 역시 저렴하여, 많은 IT 인력을 필요로 하는 기업들에게 베트남은 충분한 경쟁력을 갖추고 있다.

---

[3] 베트남의 노동생산성은 말레이시아보다 6배, 중국보다 4배, 필리핀보다 2배 낮음.

[4] 2023년 4분기 기준 평균 약 370 USD/월이며 매년 5~10% 상승하고 있음.

4. 종교 국가가 아닌 베트남

베트남은 종교 국가가 아니다. 그러나 아세안 회원국 중 말레이시아와 인도네시아는 이슬람국가이다. 이들 국가는 베트남에 비해 경제와 인프라가 발전되어 있지만, 종교 국가라는 특성이 있다. 대다수의 국민이 이슬람교도라서 투자를 할 때 이 점을 반드시 고려해야 한다. 이슬람에서는 종교의식 참여를 보장해야 하기 때문에, 이로 인해 업무의 연속성과 노동 생산성에 영향을 줄 수 있다. 또한, 이슬람은 엄격한 율법을 갖고 있어서, 율법에 맞지 않는 성분이나 절차로 제품을 생산하거나 유통하는 것은 금지되어 있다. 예를 들어, HALAL Certification 같은 인증서를 발급받기 위해선 해당 국가의 인증기관에서 요구하는 여러 증빙을 제출해야 하며, 이 과정에서 추가 비용과 시간이 소요된다.

5. 중국과는 다르다

베트남의 "도이 머이" 정책은 중국이 추진한 개혁과 개방 정책과 많은 점에서 비슷하다. 사회주의 체제를 유지하면서 시장경제 시스템을 받아들인 점도 동일하다. 국영기업에 대한 국가의 통제력 역시 크다. 이러한 점으로 보면 두 나라가 매우 비슷해 보일 수 있지만, 중국과 베트남은 분명히 다른 길을 걸어가고 있다. 중국은 경제가 크게 성장하면서 세계 무역의 중심으로 도약하려는 노력을 기울이고 있다. 해외 영향력을 확대하고 있는 과정에서 중국을 비판하는 국가에 경제적 보복 조치를 취하기도 한다. 인권 문제로 발생한 프랑스, 노르웨이와의 갈등에서 중국은 관광 및 연어 수입을 금지하는 경제 보복을 시행한 적이 있었다. 2010년 센카쿠 열도와 관련된 일본과의 분쟁에서도 중국은 희토류 수출을 중단하는 경제 보복을 시행했다. 우리나라도 사드 문제로 중국과 갈등을 겪었고, 중국에 투자한 우리 기업들은 경제적 보복을 당했다. 이러한 국제적 분쟁으로 인해 중국을 향한 외국 기업들은 불확실한 상황에 직면하고 있다. 최근에는 '반(反) 외국 제재법'을 통과시켜 중국을 비판하는 국가들에 대한 경제 보복을 법적으로 근거화했다. 이러한 논란이 있는 가운데, 중국을 떠나려는 기업들이 늘고 있는 추세이다. 그런 이유로, '베트남도 향후 법률과 간섭 등에서 중국과 비슷한 행동을 하는 것이 아니냐'라고 우려하는 외국 기업들이 있다. 그러나 베트남은 중국과는 다르다. 베트남은 미국 및 세계 여러 국가와 다자간 무역 협정5을 체결하고 있으며 좋은 외교 관계를 유지하고 있다. 베트남은 중국과는 다르게 세계 패권을 차지하려는 노력을 하지 않고 있으며, 수출 중심의 경제 성장 구조로 외국과의 관계를 유지해야 한다. 자체 자본 부족으로 인해 해외 투자를 유치하지 않으면 지속적

---

5 베트남은 ASEAN, ASEAN+3, RCEP, CPTPP에 가입하고 최근에는 EU와 FTA 체결하는 등 세계 무역 질서에 적극적으로 참여하고 있음.

인 경제 성장이 어렵다. 베트남은 실리주의 외교 정책을 채택하고 있으며 미국과 중국의 관심을 동시에 받고 있다. 사회주의 국가인 중국과 관계를 유지해야 하지만 남중국해 영유권 분쟁으로 인해 중국과 친밀해질 수도 없는 상황이다. 영유권 분쟁이 해결되지 않는 이상 베트남 국민들의 중국에 대한 반감은 사라지지 않을 것이다. 한편, 미국은 베트남이 중국을 견제해주기를 희망하며, 베트남 역시 미국을 통해 자국 이익을 확보하려는 태도를 유지하고 있다. 결국, 베트남은 중국의 길을 따라가지 않을 것이며, 그럴 수도 없다. 베트남은 신흥국으로 도약하기 위해서 다른 국가와의 무역 및 협력 관계를 유지할 가능성이 높다.

한국의 신규 투자 법인 수 동향

표2: 한국수출입은행, 대 중국과 베트남

6. 화교(華僑)의 영향이 없다

베트남은 동남아에서 화교가 없는 유일한 아세안 국가다. 베트남에는 화교의 경제적 영향력이 없을 뿐만 아니라 정치적 영향력도 전무하다. 태국, 필리핀, 인도네시아, 말레이시아, 싱가포르 등 다른 동남아 국가에서는 화교 자본을 가진 기업들이 위세를 떨치고 있는 것과 정반대이다. 그러면 왜 베트남에만 유독 화교 자본과 그들의 정치적 영향력이 취약한 것일까? 여기에는 역사적인 배경이 있다. 북베트남은 통일 이후에 대대적인 화교 축출을 시행하였다. 이를 위해 화폐개혁을 실시했는데 명목상의 이유는 통일로 인한 북남 베트남의 화폐를 통일시킨다는 것이었다. 하지만 실제 목적은 화교의 경제력을 빼앗기 위한 것이었다. 그 이유가 어찌되었든 베트남의 화폐개혁으로 베트남에 거주하고 있던 화교들은 큰 경제적 타격을 입을 수 밖에 없었다. 그 이후 1975~1995년에 걸쳐 약 80만 명의 보트 피플이 발생했고 이때 많은 화교들이 베트남을 떠났다. 그 이후부터 베트남에서 화교의 영향력은 크게 축소되었다. 현재 베트남에 남게 된 화교들은 베트남의 한 소수민족으로 분류되어 호아족 (Nguoi Hoa)으로 불리고 있다. 2022년 기준 약 100만 명이 베트남에 살고 있으며 주로 호치민시 5군 지역에 집중적으로 거주하고 있다. 화교 기업이 내수시장을 장악한 국가에서 우리 기업이 시장에서 자리 잡는 것은 쉽지 않다. 특히 중소기업은 말할 것도 없다. 인도네시아 시장에 진출했다가 철수하고 베트남 시장에 진출한 기업의 대표가 경험한 내용을 공유하도록 하겠다. "우리 회사가 진출해서 매장을 오픈하자 주변에 있던 화교 업체들이 갑자기 바겐세일을 시작했다. 우리가 30% 세일을 하면 주변 화교 업체들은 50%를 세일했고 우리고 50%를 하면 그들은 70% 했다. 철저히 우리 기업을 견제했고 우리는 그들의 물량 공세를 이기지 못하고 1년도 안돼서 손해만 보고 철수했다." 이는 화교 기업들의 단합과 외국 기업을 견제하는 방식을 보여준 한 가지 예시이다. 이 만큼 화교 기업들은 자신이 장악한 시장에서 엄청난 위세를 떨치고 있다. 그래서 화교가 힘을 쓸 수 없는 베트남은 우리 기업들이 진출 시에 다른 동남아 국가에 비해서 화교 기업들의 집중적인 견제를 피할 수 있는 국가이다.

7. 우수한 지리학적 위치

베트남은 아세안 회원국이다. 아세안은 EU를 모델로 해서 동남아 국가들이 설립한 강력한 경제협력체다. 아세안은 회원 국내에서는 관세를 철폐하고 회원국 국민들의 자유로운 이동을 보장하는 등 경제공동체를 강화하고 있다. 외투 기업이 어느 지역에 투자를 결정하려면 투자국의 지리적 위치 또한 중요하다. 수출입을 원활하게 진행할 수 있는 현대식 항구가 있는지? 수출하려는 시장과 거리는 어느 정도인지? 해상 및 육로

운송이 가능한지? 물류비는 경쟁력이 있는지? 등이다. 그런데 라오스는 항구가 없으며 캄보디아는 항구가 있지만 선박들이 자주 이용하지 않아 활성화되어 있지 않다. 그래서 이들 국가들에서 수출입을 진행하려면 베트남의 항구들을 이용해야 한다. 베트남은 해안선 대부분이 남중국해를 인접하고 있고 거리상 우리나라와 가깝다. 우리 기업 입장에서는 좋은 지리적 위치에 있다. 또 중국과 인접해 있어 철도 혹은 육로로 원료의 수출입이 가능하고 제품의 수출입이 또한 원활하다. 아세안 회원국인 베트남은 관내에서 생산한 제품들은 관세율 0% 적용을 받아 경쟁력 있는 가격으로 다른 아세안 국가로 수출이 가능하다. 참고로 베트남은 국토의 동쪽 해변이 모두 남중국해를 인접하고 있고 남중국해는 동북아와 동남아를 연결하고 인도양과 태평양을 연결하는 중요한 해상 교통로로, 아시아 국가의 상품교역 중 아메리카 대륙을 제외한 무역은 모두 남중국해를 통과한다. 특히 우리나라의 경우 수출입 물동량의 40% 남중국해를 통과하고 있고 원유, 가스 등 에너지는 90%가 이곳을 거쳐 들어오는 등 매우 중요한 지역이다.

지금까지 베트남의 경쟁력에 대해서 설명하였다. 베트남에 대한 긍정적인 측면이나 경쟁력들은 필자가 언급한 것 이외에도 많이 있다. 많은 베트남 전문가들이 개인 칼럼이나 언론 인터뷰 등을 통해서 베트남이 가지고 있는 문화적, 역사적, 정치적 측면 등에 대한 경쟁력들을 소개하고 있다. 베트남에 대한 긍정적인 정보나 기사, 정확한 통계자료 등이 필요한 독자가 있다면 자주 사용하는 포털에 '글로벌 윈도우'를 검색하면 KOTRA에서 정리해 놓은 통계자료나 시장 동향 등 베트남 진출 시 필요한 유익한 정보들을 쉽게 찾을 수 있으니 참고하기 바란다.

II

베트남 진출에 실패하는 이유

외국 기업들이 베트남 시장에 진출하려고 했지만 모든 기업이 성공한 것은 아니다. 사실, 상당수의 외국 기업들은 베트남 시장에서 실패를 경험했고, 아직도 그 실패의 과정을 겪고 있는 기업들이 많다. 이런 실패한 기업들 중에는 대기업도 있지만, 주로 중소기업들이 실패한 사례가 많다. 이는 대기업의 경우 한번 실패하더라도 재도전할 여지가 있는 반면, 중소기업은 그렇지 못하기 때문이다. 그러나 중소기업 중에서 베트남 시장에서 성공한 사례도 있으니 전혀 가능성이 없는 것은 아니다. 그렇다면 왜 어떤 중소기업은 베트남에서 성공하고, 어떤 기업은 실패하는 것일까? 이 질문에 대한 답은 다양하지만, 필자는 기업들이 실패한 이유는 크게 두 가지가 있다고 생각한다. 바로, 베트남에 대한 정보 조사 미흡과 기업의 준비 부족이다. 다시 말하면 실패한 기업들은 자신들의 사업에 "지피지기면 백전불태"의 명언을 적용하지 않는 것이다.

베트남에 대한 정보 조사가 미흡했다

해외 시장에 성공적으로 진출하려면 대상 국가에 대한 깊은 이해와 체계적인 정보 조사가 필수다. 그리고 각 나라는 그들만의 독특한 문화와 체계를 가지고 있기 때문에 일관된 기준만으로 정보를 파악하는 것은 효과적이지 않다. 예를 들면, 영어를 공용어로 사용하는 국가와 아닌 국가, 시장경제를 기반으로 하는 국가와 그렇지 않은 국가는 각기 다른 접근법이 요구된다. 특히 베트남은 영문으로 된 정보가 적거나 있더라도 정확하지 않은 경우가 많아서 베트남어에 익숙해야 원활한 정보 획득이 가능하다. 그런데 일부 기업들은 제대로 된 조사를 하지 않는 것은 물론이고 베트남의 기본적인 정보조차 헷갈려하는 경우도 있다. 그로 인해 그들은 비효율적인 투자나 잘못된 의사결정을 하는 경우도 발생한다. 그러면 실패한 기업들이 반드시 알아야 했던 베트남의 필수정보들에 대해서 알아보도록 하자.

- 외투 기업 관련 베트남의 주요 법률

- 베트남 법률의 특성과 차별 적용

- 베트남 시장과 그것의 독특한 특성

- 베트남 바이어의 특성

- 경쟁사와 그들의 전략

- 현지 직원들의 업무 문화와 특성

1. 외투 기업 관련 베트남의 주요 법률

시장 진출에 있어 필수적인 전략적 접근법은 해당 시장의 특성과 함께 자사의 제품이나 서비스의 시장 점유율 확대 가능성을 파악하는 것이다. 베트남과 같이 빠르게 성장하는 신흥시장에서는 특히 더욱 중요한 전략이 필요하다. 하지만 대부분의 기업들은 단순히 시장의 크기나 소비 트렌드에만 주목하며, 그 나라의 법률적인 특성에는 덜 주의를 기울이는 경향이 있다. 베트남 같은 경우, 다양한 법률 리스크가 숨어 있어, 이를 미리 인식하고 대비하지 않는다면 큰 손실을 입을 가능성이 크다. 실제로 여러 기업들이 베트남에서 실패하는 주요 원인 중 하나는 이러한 법률적 이슈에 대한 준비의 부재다. 그럼 기업들이 관심을 가져야 했던 베트남의 주요 법률들에 대해서 알아보도록 하자.

1) 투자법과 고려해야 할 사항

베트남에 투자하려는 기업과 개인은 해당 국가의 투자법(Luật số: 61/2020/QH14)과 규정을 준수해야 한다. 이는 일반 규정, 투자 보장, 투자 우대 및 지원, 투자 활동 등에 관한 규정을 포함하고 있다. 투자법의 적용은 베트남에서 사업을 시작하려는 경우 중요한 부분이며, 이를 숙지하지 않으면 불필요한 리스크를 감수하게 될 수 있다. 제조업과 비제조업 사업의 경우, 투자 규모와 입주하는 산업단지의 특성에 따라 투자 허가 및 법인 설립 절차가 달라질 수 있다. 제조업의 경우 일반적으로 큰 투자가 필요하며, 공단에서 투자 허가 절차를 원활하게 처리해주는 경우가 많아 비교적 쉽게 법인을 설립할 수 있다. 그에 따라 문제 발생 가능성도 낮다.

반면, 비제조업 분야는 유통 및 서비스 업종이 다양하며, 법인 설립 절차가 복잡하다. 이때 법무 법인의 도움을 받아 진행하는 것이 일반적이다. 그러나 법무 법인 선택은 신중하게 해야 한다. 법무 법인마다 대행료와 서비스 품질 등에 차이가 있기 때문이다. 가격만을 고려해 선택하는 것보다는 법무 법인의 전문성과 경험, 그리고 기업의 필요에 부합하는지를 고려하는 것이 중요하다. 베트남에서 투자를 시작할 때 법무 법인을 선택할 때 조심하지 않으면 다양한 문제가 발생할 수 있다. 이 문제 중에서 법무 법인 때문에 발생하는 피해 유형 몇 가지를 예로 들어보겠다.

다른 법인 설립 방식

베트남에서 유통업 허가를 얻기 위해서는 약 5,000~10,000달러의 비용이 소요된다. 중소기업은 이러한 비용을 절감하기 위해 로컬 법률 회사를 이용하는 경우가 있다. 그러나 일부 로컬 법률 회사는 외국 기업이 현지어와 베트남 법규를 이해하지 못하는 점을 이용하여 투자 허가를 얻기 쉽고 비용이 저렴한 수출 및 수입 업무만 가능한 법인 허가를 받아 주고, 대행료는 유통업 허가 비용으로 받는 경우가 있다. 향후 이 문제를 제기하더라도 로컬 법률 회사에게 손해 배상을 받는 것은 어려운 일이다.

사업 필수 사항 누락

베트남에서 제품을 유통하려면 투자 허가를 받을 때 유통하려는 제품 카테고리를 미리 등록해야 한다. 그러나 투자 허가서를 받아보면 제품 정보가 누락되거나 충분하지 않은 경우가 있다. 이는 등록할 제품 카테고리가 많을수록 허가 비용이 높아지기 때문이다. 따라서 로컬 법률 회사는 우리가 요청한 제품 카테고리 중 일부만을 등록하고 허가 및 등록을 진행하는 경우가 있다. 베트남어를 잘 모르는 경우 투자 허가서에 제대로 제품 정보가 등록되어 있는지 확인하기 어렵다.

편법 사용의 리스크

일부 기업은 현지인의 명의로 법인을 설립하는 등의 편법을 사용하고 있다. 로컬 법률 회사도 이러한 편법을 외국 기업에 제안하기도 한다. 이것은 외국 기업이 투자 허가 절차를 우회하고 비용을 절감하기 위한 방법이다. 그러나 베트남에서 차명 계약은 불법이다. 그러므로 현지인의 명의로 법인을 설립하고 유통을 진행하다가 명의인과 분쟁이 발생하면 외국 기업은 이를 해결할 적절한 방법이 없다. 즉, 기업이 모든 편법 사용의 불이익을 완전히 짊어져야 한다.

2) 기업법과 고려해야 할 사항

베트남 기업법(Luật số: 59/2020/QH14)은 일반 규정, 기업의 설립, 유한책임회사, 주식회사, 국영기업 등의 규정을 포함하고 있다. 베트남 기업법에 따르면 유한책임회사에는 사원이 1인인 회사와 2인 이상 50명 이하의 사원을 둔 회사, 두 가지 종류가 있다. 주식회사에 대한 규정은 우리나라와 크게 다르지 않다. 그리고 베트남에 진출을 희망하는 기업들 중에서는 합작투자를 고려하는 경우가 많다. 우리 기업이 기술과 자본을 제공하면 베트남 파트너는 토지, 인프라, 그리고 현지 인맥을 제공하여 합작을 이루곤 한다. 우리나라의 기업법은 주식을 1주라도 더 많이 가진 쪽이 운영 권한을 가지지만, 베트남에서는 최소 65% 이상의 주식을 보유해야 독립적인 운영이 가능하며, 청산과 같은 중요한 결정은 75% 이상의 지분 소유가 필요하다. 그럼에도 불구하고 이 사실을 모르고 50:50의 비율로 합작을 진행하거나 이에 가까운 비율로 계약을 체결하는 경우가 자주 있다. 만약 합작 시작 시 권리와 의무에 대한 명확한 합의가 없다면, 양사 간의 신뢰 관계가 손상되었을 경우 정상적인 기업 운영이 어렵게 된다.

3) 토지법과 고려해야 할 사항

베트남은 사회주의 국가로, 토지와 부동산을 구분하여 관리하고 있고 각각에 대한 별도의 법률이 있다. 토지법(Luật số: 45/2013/QH13)은 토지를 국가가 관리하며 개인과 법인은 토지를 소유할 수 없고, 사용권만 부여 받을 수 있다. 사용권은 토지를 사용하는 권리를 나타내며 베트남에서는 하나의 재산권으로 간주된다. 따라서 사용권은 매매와 양도가 가능하며 은행에서 대출의 담보로 사용할 수 있다. 외국인은 토지에 대한 사용권을 가질 수 없으며, 외국 투자 기업은 기한이 있는 사용권만 부여된다.

제조업 기업은 주로 공단에 입주하는 것이 일반적이며, 공단을 선택할 때는 토지 가격뿐만 아니라 다른 여러 가지 조건과 상황을 종합적으로 고려해야 한다. 그러나 몇몇 기업들은 토지 가격만 중요하게 생각하고 다른 조건과 상황을 충분히 고려

하지 않은 채 공단이나 일반 토지의 사용권을 구매하는 경우
도 있다.

그런데 우리 기업이 선택한 공단이나 일반 토지가 위치도 좋
고 가격이 저렴하다면 예상치 문제가 발생할 수 있다. 그래서
입주하려는 공단이나 일반 토지가 '우리 업종의 공장 설립이
가능한지? 폐수 처리 시설이 필요한지? 토지 사용권을 양도받
을 수 있는지?' 등 여러 가지 상황을 정확히 확인해야 한다.

로컬 부동산 업체나 법무법인이 자신들이 소개한 공단이나 일
반 토지가 문제가 없다고 해도 공단 측이나 지방성의 투자관리
국과 직접 미팅을 통해 한 번 더 확인하는 것이 필요하다. 그럼
에도 불구하고 몇몇 기업들은 이러한 정보 확인 과정을 거치
지 않고 가격이 낮은 토지의 사용권을 구매하거나 공단과 입
주 계약을 체결하는 경우가 있다. 이러한 상황은 사업 초기부
터 어려움을 겪을 가능성이 크다. 이러한 리스크를 피하기 위해
공장 부지를 결정할 때 고려해야 할 사항들 알아보도록 하자.

공단 별로 차이가 존재한다

대부분의 공단 개발사는 국가로부터 토지 사용권을 획득할 때
전액을 일시에 납부하고 해당 지역을 개발한다. 이후 입주할
기업들에게 토지 사용권을 양도함으로써 그들을 해당 지역에

유치한다. 이러한 사용권의 기간은 최장 50년까지이며, 특별한 상황에서는 75년까지 연장될 수 있다. 그럼에도 불구하고 규모가 작은 공단 개발사는 일시불로 대금을 지불하지 않고 매년 일정한 비용을 정부에 납부하며 공단을 개발하기도 한다. 따라서 이런 방식의 공단에 입주하는 기업들은 공단과 임대 계약만을 체결한 것이기 때문에, 그들이 가진 토지 사용권이 따로 존재하지 않는다. 이러한 상황은 법적 안정성이 부족하게 만들며, 은행에서 대출을 받을 수 없게 된다. 또 임대 형태의 공장에 입주할 때도 주의가 필요하다. 예를 들어, 임대료의 인상률에 관한 사항을 미리 명확하게 계약하지 않으면, 계약 갱신 시에 임대료가 크게 상승해 기업에 어려움을 주는 경우가 있다.

쉼터2 임대 공장 사례

B사는 베트남 공단을 조사했지만 적합한 공단을 발견하지 못했다. 한동안 고심하던 중 한 부동산 업자를 통해서 임대 공장을 소개받았다. 위치도 호치민과 가까웠으며 임대료도 저렴해 투자비용의 부담이 적어 투자를 결정하고 3년간 임대하기로 결정했다. 공장은 원활하게 운영되었으며 수출량도 늘어나 생산 시설을 확충했다. 그런데 임대 종료 기간이 다가와 공단에 계약연장을 신청했는데 공단은 임대료의 30% 인상을 요구했다. 공장 시설의 이전이 어려워 어쩔 수 없이 공단의 요구를 수용했지만 B사는 올해 계획한 수익창출이 어렵게 되었다.

쉼터3 사용권이 없는 공단

N사는 공장 건설을 결정했지만 예산이 충분치 못해 가성비가 좋은 공단에 입주하기를 원했다. N사는 로컬 법무법인에게 본인들이 원하는 조건에 맞는 공단 조사를 의뢰했다. 그 결과 동나이성에서 적합한 공단을 찾았고 그곳에 입주하기로 결정했다. 공장 완공 후 생산을 시작했고 2년후에는 수출량이 늘어났다. N사는 현재 설비로는 수출량을 감당할 수 없었기 때문에 공장 증축을 계획했다. 필요한 예산은 토지 사용권을 담보로 은행 대출을 받기로 했다. 그런데 대출상담 받던 중에 토지에 문제가 있음을 발견했다. 알고 보니 N사는 공단으로부터 사용권을 구매한 것이라 아니라 40년 동안의 공단 관리비와 임대료를 선납한 임대계약이었다. N사는 로컬 법무법인에 문제를 제기했지만 자신들은 책임이 없다는 반응이었다. 결국 N사는 난처한 상황에 처하게 되었다.

도시 외각 지역의 공단에서는 고려할 점이 있다.

기업이 도심에 위치하고 있다면 인력 채용에 유리한 반면, 기업이 지방이나 공단과 같은 외곽 지역에 있다면 채용에 어려움을 겪을 수 있다. 이러한 지리적인 제약을 무시하고 단순히 투자 비용만을 기준으로 기업을 설립한다면, 필요한 인력을 확보하는 데 어려움을 겪을 수 있다. 베트남은 한국과는 다르게 평균 수준 이상의 역량을 가진 인력이 부족한 편이다. 따라서 기업이 위치한 지역에서 원하는 직원을 채용할 수 있을지 사전에 충분한 검토가 필요하다. 특히 고려해야 할 점은, 많은 고급 인력들이 낮은 급여를 받더라도 도심에 근무하는 것을 선호한다는 점이다.

쉼터4 인력채용 실패

C사는 주변 공단과 비교해 가격이 15% 이상 저렴한 공단을 찾았다. 그 공단에는 현재 10개 기업이 입주해 있었다. 공단의 위치는 그 지역의 도심지에서 차로 약 40분 정도 떨어져 있었고 공단 주변에는 소규모 식당들이 있었지만 거주지는 없었다. 인력채용에 대해 약간 고민했지만 다른 기업들도 입주해 있는 것을 보고 큰 문제는 없을 것으로 생각했다. C사는 2년 만에 공장을 완공했고 직원 채용을 시작했다. 하지만 원하는 수의 직원들을 채용할 수 없었다. 일반 구직자들이 도심지 근처에 있는 공단으로 몰렸기 때문이다. 특히, 영어가 가능한 직원과 대졸 기술자들은 채용할 수가 없어서 큰 어려움에 처하게 되었다.

공단의 위치가 항구와 멀수록 리스크는 커진다.

2021년 기준 베트남의 물류비용 비중은 약 20%로, 선진국의 약 10% 수준과 비교했을 때 상당한 차이를 보인다. 이러한 높은 물류비용을 줄이기 위해서는 기업의 위치 선정이 중요한 요소가 된다. 특히 베트남의 도로 상황은 열악하기 때문에 공단이 항구와 너무 멀리 떨어져 있다면 교통 체증 등으로 인해 수출 일정에 차질이 생길 수 있다. 이러한 차질은 고객과의 신뢰를 훼손시킬 수 있으며, 이로 인한 클레임 처리로 추가적인 비용이 발생할 수 있다. 따라서 기업이 베트남에서 투자를 계획할 때는 항구와의 거리, 도로 상황, 예상되는 물류비용 등을 종합적으로 고려하여 최적의 위치를 선정해야 한다.

표3: 주요국 GDP내 물류비 비중 , 세계은행

일반 토지는 리스크가 많다.

공단 밖의 일반 토지는 그 자체로 많은 리스크를 안고 있다. 유명한 공단들은 그 위치와 구조, 그리고 다양한 편의를 제공하기 때문에 많은 기업들이 선호한다. 대도시 근접성 덕분에 인력 채용도 원활하고, 공단 내에서는 대부분의 행정 절차나 필요한 인프라가 잘 구비되어 있어 기업 활동에 큰 도움을 준다. 하지만 모든 기업이 공단 내에 위치할 수는 없다. 특히 예산 문제로 인해 공단 외의 일반 토지를 구매해야 하는 기업들은 훨씬 더 신중해야 한다. 왜냐하면 토지 선정 시, 잘못된 선택은 나중에 큰 문제로 이어질 수 있기 때문이다. 예를 들면, 농업용 토지나 제조업 허가가 어려운 토지, 전력 공급에 문제가 있는 토지 등은 초기에는 문제가 없어 보일 수 있지만, 사업을 진행하면서 큰 장애물로 다가올 수 있다.

따라서 일반 토지를 선택할 때에는 단순히 가격만을 기준으로 하지 않고, 해당 토지의 용도, 인프라, 주변 환경 등 여러 조건을 종합적으로 고려해야 한다. 가능하다면 전문가와 함께 현장을 방문해 보는 것도 좋다. 이를 통해 토지의 실제 상황을 파악하고, 장기적인 사업 전략에 맞는 최적의 토지를 선택할 수 있다.

쉼터5 농업용 토지

D사는 자신들이 발견한 토지의 입지 조건과 가격이 마음에 들었다. 토지를 소개해준 로컬 부동산 업체는 공장 건설이 가능한 토지가 확실하며 혹시 문제가 생기면 자신들이 책임지고 해결해주기로 했다. 베트남에 대해서 잘 알지 못했던 D사는 그 말을 믿고 토지에 대한 조사를 소홀히 한 체 계약을 진행했다. 계약 후 토지 사용권을 취득했고 투자 진행은 문제가 없는 것으로 보였다. 하지만 공장 건축을 위해서 관할 기관에 건설허가 신청을 했을 때 구매한 토지에 하자가 있다는 것을 알게 되었다. 그 토지는 공장을 건설할 수 없는 농업용 토지였다. 당황한 D사는 부동산 업체에게 연락을 했지만 농업용지에서 공장부지로 변경하려면 비용이 필요하는 말만 할 뿐이었다. D사는 공장 건축을 위해서 어쩔 수 없이 추가 비용을 지불하고 공장부지로 변경하는 절차를 밟아야 했다.

쉼터6 토지 보상 문제

토지 보상 문제는 베트남 공단개발 기업도 해결하기 쉽지 않다. I사는 구매하려는 토지가 보상 문제가 남아 있다는 점을 알고 있었다. 하지만 가격이 매우 저렴하고 위치도 좋았기 때문에 꼭 구매를 하고 싶었다. 마침 로컬 법무법인이 자신들이 해결하겠다고 장담했다. 그래서 문제 있는 토지를 양도받았다. 그러나 문제 해결을 장담했던 법무법인은 약속했던 기한 내에 보상문제를 해결하지 못했다. 토지보상이 끝날 때까지 공장 건설을 할 수 없게 된 기업은 투자계획에 차질이 발생했다.

쉼터7 전력 공급 문제

J사가 구매한 토지는 공장 건설에 문제가 없고 토지 보상 문제도 해결
된 토지였다. 그런데 그 토지는 가정용 전력만 공급이 가능해서 공장
가동에 필요한 전력을 공급받을 수 없었다. 필요한 전력을 공급받기
위해서는 기업이 직접 전력회사와 계약을 맺고 자기 비용으로 변압기
설치, 전력 설비 시공 및 전선 설치 작업 등을 직접 시행해야 했다. 예
상치 못한 문제로 추가 비용이 발생했고 복잡한 행정절차도 해결해야
했다.

4) 건설법과 고려해야 할 사항

먼저, 공장 건설에 앞서 기업은 신뢰할 수 있고 전문적인 건설
사를 선정해야 한다. 이 건설사는 베트남의 건설법 규정(Luật
số: 50/2014/QH13)을 정확히 이해하고 이를 준수하는 것이
필수다. 베트남 내에서의 과거 건설 경험과 노하우가 풍부한
건설사를 선정하는 것이 중요한데, 이는 해당 지역의 특성과
법률적 규정을 더 잘 이해하고 준수할 수 있기 때문이다.

다음으로, 공장 건설 완료 후에는 준공 허가를 취득해야 한다.
이 과정에서는 베트남의 주무 관청에 현장실사를 요청하여 건
설이 건설법 및 관련 규정에 부합하는지 검증 받아야 한다. 현

장 실사 결과에 따라 추가적인 변경 요청이나 조치가 필요할 수 있다.

또한, 건설사와의 계약 시 계약 내용이 명확해야 한다. 계약에서는 건설과 관련된 모든 사항, 예를 들면 건설 기간, 비용, 사용될 자재의 표준 등이 구체적으로 명시되어야 한다. 특히, 건설사의 계약 불이행 시 발생할 수 있는 문제에 대비하여 손해배상 조항을 포함시켜야 한다. 이렇게 명확한 계약을 통해 나중에 양사 간의 분쟁 발생 시 책임소재를 명확히 할 수 있다.

쉼터8 건설사와 분쟁I

A사는 호치민 근교에 있는 공단에 입주하기로 결정했다. 공장 건설을 위해 입찰공고를 했고 가장 좋은 가격을 제출한 베트남 건설사와 계약을 체결했다. A사의 공장은 일반적인 오픈형 공장이었고 특별한 기술력이 필요하지 않았다. A사는 건설기간 동안 현장을 방문을 통해 건설과정을 확인했다. 공장은 완공되었고 A사는 준공허가를 신청했다. 그러나 문제가 발생했다. 허가 기관의 준공검사에서 공장의 안정성에 문제가 있다고 판단했다. 조사결과 건설사가 표준 규격에 미달하는 자재들을 사용된 것이 밝혀졌다. A사는 문제제기를 하였지만 베트남 건설사는 자신들은 잘못이 없다고 오리발은 내밀었다. A사는 법원에 베트남 건설사를 고소를 했지만 베트남 법원의 느린 행정절차와 합리적이지 못한 판결을 예상해보면 문제해결이 요원한 상황이다.

쉼터9 건설사와 분쟁II

베트남에 진출한 P사는 현지 공장을 통한 해외 수출 확대와 내수시장 개척이 목표였다. 공장 건설을 위해서 입찰공고를 진행하였고 베트남 건설사와 계약했다. 타사에 비해서 완공 기간도 짧았고 견적이 경쟁력이 있었기 때문이다. 그리고 준공허가를 받아 준다는 조건도 좋았다. P사는 공장 완공 후 건설사에 준공 허가 진행을 요청했다. 그런데 계약된 기한 내에 준공 허가는 나오지 않았다. P사의 문제 제기에 건설사는 '지금 진행 중이다.'라고 답변했다. 그 후 시간이 흘렀지만 허가는 나오지 않았다. P사는 결국 준공허가를 위해서 다른 대행사와 계약을 맺었는데 비용이 상당했다. 이 비용이면 베트남 건설사가 제시한 견적은 다른 건설사가 제시한 가격보다 더 비쌌다. 준공 허가는 받게 되었지만 소중한 시간과 추가 비용을 낭비하게 된 P사는 큰 손해를 입게 되었다.

5) 수입허가규정과 고려해야 할 사항

베트남의 수입허가규정(Luật số: 9415/QLD-ĐK)은 다양한 제품 분야별로 체계적으로 관리되고 있다. 특정 제품들을 수입하려면 해당 제품의 규정 및 허가에 관한 절차를 이해하고 이를 준수하는 것이 필수다.

화학제품의 경우, 베트남의 과학기술부에서 이를 관리하며, 해당 제품의 안전성 및 환경 영향 등에 대한 평가를 통해 수입 허가를 내주게 된다. 기계 및 설비는 상공부에서 관리하고, 해당 기계나 설비가 국내의 기준 및 규정에 맞게 수입되는지를 확인한다. 화장품과 식기는 사용자의 안전을 위해 더욱 엄격한 관리가 필요하다. 베트남의 보건부 산하 식품안전국에서는 이들 제품의 성분, 안전성 및 품질 관련 규정을 관리하며, 제품의 품질과 안전성에 관한 보증을 받기 위해 별도의 수입허가 절차를 거친다.

QUATEST는 베트남에서 제품의 품질 및 안전성 검사를 담당하는 주요 기관이다. 식품부터 화장품, 기계, 전자장비에 이르기까지 다양한 제품 분야에서 품질 검사 및 검증을 진행한다. QUATEST는 국내 여러 지역을 관할지역으로 나누어 효율적으로 관리하며, 각 지역별로 특성에 맞는 검사 및 검증 작업을 진행한다. 단, 베트남 법규는 통보도 없이 자주 개정되는 경우가 많아 필요하다면 수시로 규정을 확인해 보는 것이 바람직하다.

그림1 수입허가 절차도

쉼터10 **베트남의 수입허가(CONG BO)**

수입품들 중에서 식품, 화장품, 유아용품, 식기 등 인체에 영향을 줄 수 있는 제품들은 베트남 보건부의 사전 수입허가를 취득한 뒤에 수입을 진행해야 한다. 수입허가를 취득하기 위해서는 수입하고자 하는 제품들을 베트남 보건부에 제품별로 등록해야 한다. 주의할 점은, 제품의 종류가 같더라도 용량이 다르면 다른 제품으로 간주되며 용량은 같은데 디자인이 달라도 마찬가지다. 수입자는 수입 허가에 필요한 서류들을 수출자에게 요구하고 수출자는 필요한 서류들을 준비해서 수입자에게 송부한다. 그러면 수입자는 샘플을 검사기관 (QUATEST)에 검사를 의뢰한다. 검사기관은 수입제품내에 금지 성분이 있는지 검사하고 서류상에 표기된 성분과 제품의 성분이 동일한지 확인한다. 결과에 문제가 없으면 검사 기관으로부터 리포트를 발급받아서 보건부에 허가절차를 진행하면 된다. 이런 수입허가규정은 베트남의 비관세 장벽이다.

6) 외국인계약자세와 고려해야 할 사항

외국인계약자세(Luật số: 111/2013/TT-BTC)는 베트남에서 외국인과의 서비스 거래 시 발생하는 대금에 적용되는 세금이다. 이 세금은 이자, 로열티, 면허 사용료, 외국인 계약자 수수료, 그리고 국제 간 리스료 등에서 발생한다. 특히, 베트남 내에서 사업장이 없는 외국인과의 계약에도 이 세금이 적용되며, 베트남 내 계약자가 외국으로 지급 시 이 세금이 원천 징수되어 잔액만이 실제로 수출자에게 지급된다.

이와 같은 원천 징수의 특징은 베트남만의 독특한 법규로, 다른 나라에서는 쉽게 볼 수 없는 특성이다. 따라서 외국 기업이나 사업자가 베트남에서 사업을 진행할 때 이러한 세금 문제를 미리 인지하고 계획하는 것이 중요하다. 외국인계약자세의 적용 세율은 다양하며, 예를 들면 이자는 5%, 로열티는 10%, 보험 및 용역은 각각 5%, 파생상품은 2%, 그리고 장비 임대는 5%가 적용된다. 또한, 베트남에서 수출할 때 DDP 조건으로 계약을 진행하게 되면 외국인계약자세가 적용되므로, 이러한 조건으로의 계약은 피해야 한다. 일반적으로 베트남에서는 FOB나 CIF 같은 운송 조건이 자주 사용된다. FOB 조건에서는 매도인이 화물을 지정된 선박에 적재하며, CIF 조건에서는 매도인이 화물의 전체 운송 비용을 부담한다. 이렇게 외국인계약자세와 관련된 다양한 사항들을 미리 숙지하고, 필요한 경우 전문가의 도움을 받아 적절한 계약 조건과 세금 문제를 해결하는 것이 바람직하다.

쉼터11 **로열티 적용**

한국의 E사는 ERP 시스템을 개발하고 운영하는 기업이다. 베트남 진출을 원했던 E사는 협력하고자 하는 베트남 기업을 발굴해 양사는 서비스 공급 계약을 맺게 되었다. 양사는 베트남 현지에서 시스템 운영으로 발생하는 수익금을 공유하기로 했다. 예상대로 E사의 시스템은 경쟁력이 있었고 수익창출이 가능했다. 그런데 베트남에서 발생할 수익을 파트너에게 분배 받았는데 총액에서10% 부족했다. 베트남의 특유한 법규인 외국인계약자세 때문이었다. 베트남 정부는 양사의 계약을 로열티 계약으로 간주해서 10%의 법인세율을 부과했다. 예상치 못한 손실로 E사는 안정적인 수익창출이 어렵게 되었다.

쉼터12 DDP 운송 조건

F사는 기계 설비를 생산하는 기업이다. 수출 경험은 있지만 베트남 수출은 처음이었다. 바이어는 수입이 처음이고 수입 절차에 대해서 잘 모르니 F사가 수입통관을 완료하고 자신들의 공장까지 제품을 운송해주는 DDP조건을 요구하였다. F사는 다른 지역도 비슷한 운송 조건으로 수출을 진행해본 경험이 있고 큰 문제가 없다고 판단해서 바이어의 제안을 수락하였다. 그러나 실제 수출을 진행한 후 대금을 결제를 받았을 때 F사는 계약금액보다 금액을 적었다. 그래서 바이어에게 금액이 계약서와 다르다며 문제를 제기했다. 하지만 바이어로부터 받은 답변은 F사를 당황하게 만들었다. 송금액이 적을 수밖에 없었던 이유는 외국인계약자세라는 베트남 특유의 법규 때문이었다.

2. 베트남 법률의 특성과 차별 적용

1) 베트남 법률의 특성

베트남 법률의 특징은 두 가지로 요약된다. 첫 번째는 법률의 소급 적용이며, 두 번째는 법률의 불명확성이다. 법률의 소급 적용을 특별한 경우에만 허용하는 것이 원칙이지만, 베트남에서는 현실적으로는 자주 적용한다. 특히 기업 활동과 관련된 법률에서 소급 적용이 빈번하게 나타나며, 외국 기업들에게 불안 요소를 제공한다. 예를 들어, 법률이 개정될 때마다 신규 법률이 소급 적용될 가능성이 있으며, 이로 인해 외국 기업은 예상치 못한 비용과 법률적 리스크에 직면할 수 있다. 실제로, 2018년에 베트남 정부가 적용한 법률 소급 적용으로 인해 베트남에 진출한 특정 대기업이 큰 과징금을 부과 받은 사례가 있었다.

또 다른 특징은 베트남 법률의 불명확성이다. 법률은 명확해야 당사자가 쉽게 이해하고 준수할 수 있지만, 베트남 법률은 종종 명확하지 않아서 외국 기업들이 다양한 어려움에 직면할 수 있다. 특히 제품의 HS.code 설정과 관련하여 불명확성이 두드러진다. HS.code는 국가마다 달라서 한국은 10자리인 반면 베트남은 8자리로 구성되어 있다. 또한 베트남에서는 HS.code 사전 확인 절차가 있지만, 이를 통해 받은 HS.code가 항상 통관 절차에서 보장되지 않는다. 이로 인해 외국 기업은 예상치 못한 추가 관세 및 법률적 리스크에 직면할 수 있다.

이런 법률의 불명확성으로 인해 세관원은 제품의 분류 및 관세를 결정할 때 주관적인 판단을 내릴 수 있으며, 이로 인해 같은 제품이라도 서로 다른 세관원이 다른 결정을 내릴 수 있다. 이러한 불명확성과 세관원의 주관성은 외국 기업들에게 법률적 리스크를 더 증가시키는 요인 중 하나이다.

2) 베트남 법률의 차별 적용

베트남은 외국 기업을 유치하기 위해 투자법, 노동법, 세법 등 다양한 법률을 개선하였지만, 이러한 법률들의 적용에 있어서는 로컬 기업과 외국 기업 사이에 상당한 차별이 존재한다.

투자법 적용의 차별

제조업 분야에서는 외국 기업에 대한 차별이 비교적 낮다. 오히려, 외국 기업은 한정된 기간 동안 법인세 면제 혹은 감면 혜택을 받을 수 있는 경우가 있다. 그러나 비제조업 분야에서는 상황이 다르다. 로컬 기업은 매우 낮은 자본금으로 법인을 설립하고 빠르게 사업을 시작할 수 있으며, 법인 설립까지의 시간도 상대적으로 짧다. 반면 외국 기업은 미리 업종 선택부터 세부 계획까지 정확하게 결정해야 하며, 1 VND(베트남 동의 통화단위)로 법인을 설립하는 것은 불가능하다. 법인 설립까지 소요되는 시간은 약 4개월이며, 허가를 받지 못할 수도 있다. 실제로, 비제조업 분야의 외국 기업은 자본금 규정이 명확하지 않음에도 불구하고 20만 달러 이상을 투자해야 한다. 베트남 정부는 투자 금액이 큰 외국 기업을 환영하지만, 투자 금액이 적고 고용 효과가 낮은 외국 기업의 진출을 제한하려는 경향이 있으며, 이때 "허가"라는 수단을 주로 활용한다.

노동법 적용의 차별

긴급한 주문을 처리해야 할 때 기업은 종종 고용인원의 초과 근무로 문제를 해결한다. 그러나 베트남의 노동법(Bộ luật số: 45/2019/QH14)은 연간 최대 300시간의 초과 근무를 허용하고 있어 기업에게 충분하지 않다. 이로 인해 로컬 기업이든 외국 기업이든 이 규정을 준수하기 어렵다. 베트남 정부는 이러한 문제를 인식하고 있지만 법 개정을 미루고 있으며, 기업들이 노동법을 위반할 수 밖에 없는 현실적인 문제를 외면하고 그들을 법률 위반으로 조사한다. 그런데 베트남 정부는 법률 위반에 관련하여 로컬 기업에 대해서는 상대적으로 관대한 태도를 보이지만 외국 기업은 엄격한 조사를 하는 경향이 있다.

노동분쟁 해결의 차별

기업과 노동자 간의 분쟁은 불가피하며, 이러한 분쟁은 급여 인상, 작업 환경 개선, 노동자 해고 등 다양하다. 그러나 로컬 기업과 외국 기업은 이런 분쟁들에 대한 해결 과정과 결과에는 차이가 있다. 로컬 기업의 경우 노동 분쟁은 주로 노동조합 내에서 해결되며, 외국 기업의 경우 내부적인 해결이 어려운 경우가 많아 법원으로 사건이 이송된다. 베트남 법원은 대부분의 경우 노동자 측을 지지하며, 판례에는 또한 이러한 경향이 나타난다. 베트남은 판례를 공개하지 않아 모든 내용을 확인할 수는 없지만, 확인된 판례들[6]을 보면 노동 분쟁에서 외국 기업들이 패소한 경우가 많다.

세법 적용의 차별

법인 설립 후 일반적으로 3년 내에 세무 감사를 받게 되는데 관할 세관이 그 시기를 자율적으로 결정한다. 그런데 이러한 세무 감사에서 외투 기업과 로컬 기업 간에 차별이 발생한다. 로컬 기업은 세무 감사를 받지 않는 경우가 많지만, 외투 기업은 반드시 받게 된다. 그래서 외투 기업에서는 세무와 회계를 관리하는 직원의 역할이 중요하다. 그러나 외투 법인은 세무와 회계를 담당하는 관리자인 경리장을 현지인만을 고용할 수 있으며, 경영진은 자사의 경리장과의 언어, 문화, 법률 등의 차이로 인하여 세무 감사 준비에 어려움을 겪는 경우가 허다하다.

---

[6] 외투 기업과의 노동분쟁 판례들: Bản án số: 04/2023/QĐST-LĐ, Bản án số: 02/2022/LĐ-ST

3. 베트남 시장의 특성을 몰랐다.

베트남은 2000년대 초 중국에 이어 눈에 띄는 성장을 보이며 '포스트 차이나'로 주목받았다. 2023년 현재, 약 1억 명의 인구를 보유하며 강력한 소비 시장으로 성장하였다. 그러나 잠재력이 높은 베트남 소비시장에서 외국계 기업들의 성공은 쉽지 않다. 베트남의 일인당 국민소득은 2023년 기준으로 약 4,000 USD로, 여전히 저소득국가 범주에 속한다. 중요한 두 도시인 하노이와 호치민 사이의 거리는 직선으로 1400km 이상이며, 기존의 도로 인프라의 한계로 차량 이동은 3일 가량 소요된다. 이러한 지리적 특성으로 인해 베트남 내에서도 북부와 남부 두 개의 별개의 시장 특성을 보이고 있다. 하노이 기반의 북부 시장은 브랜드에 민감하며 계획적으로 제품을 구매하는 반면에 호치민 중심의 남부 시장은 신제품에 대한 관심이 높고, 감정적인 구매 경향을 보인다. 이렇게 두 시장의 특성이 다르기 때문에 베트남에 진출할 계획인 기업들은 해당 시장의 특성을 정확히 파악하고, 그에 맞는 전략을 세우는 것이 필요하다. 그럼 베트남 시장과 관련한 여러가지 특성들에 대해서 알아보도록 하자.

1) 가격에 민감한 소비자

베트남 소비자는 그들의 구매력에 맞춘 가격-가치 비율을 중시한다. 이 점은 시장 진입 전에 반드시 고려되어야 한다. 경쟁사의 제품 가격, 인지도, 그리고 제품의 특징을 종합적으로 분석하여 자사 제품의 적정 가격을 결정하는 것이 중요하다. 베트남은 브랜드가 있는 고가의 제품과 브랜드가 없는 저가의 제품이 시장의 대부분을 장악하고 있다. 따라서 우리 제품이 경쟁사 대비 뛰어난 가치를 소비자에게 제공하지 못한다면 베트남에서의 성공은 더욱 어려울 것이다.

2) 적정한 품질이 필요하다.

베트남 소비자는 '적정한 품질'이면 족하다. 여기서 중요한 것은 한국과 베트남의 품질 기준이 다르다는 것을 이해하는 것이다. 예를 들면, 한국 소비자는 10점 만점에 10점에 가까운 품질을 기대하지만 베트남 소비자는 6점 수준의 품질로도 만족하는 경향이 있다. 다시 말하면 10점과 6점은 베트남 에서는 같은 품질이라는 것이다. 이를 인식하고 6점 수준의 품질을 제공하면서도 가격 경쟁력을 강화하는 전략이 필요하다.

3) 품질 평가는 소비자의 몫

제품의 품질에 대한 평가는 기업 내부적인 관점이 아닌, 시장과 소비자의 반응을 기반으로 이해되어야 한다. 소비자의 입장에서 봤을 때, 제품의 품질과 가격이 어떤 관계를 가지는지 분석하는 것이 중요하다. 다시 말하면 기업이 가지고 있는 제품에 대한 객관적인 데이터 보다는 소비자의 판단이 더 중요하다는 뜻이다. 만약 기업이 이점을 인정하지 않는다면 베트남 시장뿐만 아니라 다른 시장에서도 실패할 가능성은 높을 수밖에 없다.

4) 베트남 소비자는 이렇다.

한국산 제품은 베트남 시장에서 높은 신뢰를 얻고 있다. 이는 끊임없는 품질 유지, 정부의 품질 관리 정책, 그리고 기업들이 지켜온 표준 준수 덕분이다. 그러나 베트남 소비자들은 자국에서 제품 선택 시 상당한 의심을 가진다. 이러한 소비자들의 태도는 짝퉁 제품이 흔하게 유통되는 현재의 시장 상황 때문이다.

특히 베트남에서는 유명한 쇼핑 장소인 사이공스퀘어를 방문하면, 손쉽게 짝퉁 제품을 발견할 수 있다. 그렇게 쉽게 접할 수 있는 짝퉁 제품은 소비자들로 하여금 진품에 대한 의심을 가지게 만든다. 실제로, 이러한 짝퉁 제품들이 시장에서 넘쳐 나면서, 제품의 품질에 대한 의심과 거리감을 만들어낸다.

그리고 베트남의 소비 시장에서는 오프라인 매장의 중요성이 아직까지 크다. 오프라인 매장에서 실제 제품을 직접 보고, 만지고, 체험할 수 있기 때문에 소비자들은 오프라인 매장에서 판매되는 제품에 대해 더 높은 신뢰를 가진다. 그 결과, 새로운 제품이나 브랜드를 시장에 소개하려는 기업들은 오프라인 매장에서의 활성화 전략을 세우는 것이 필수적이다.

또한, 중국산 제품과의 경쟁에서는 특히 제품의 안전성이 큰 역할을 한다. 베트남 소비자들 사이에서 중국산 제품은 이미 안전성에 대한 불신을 매우 크다. 그렇기에, 안전성을 강조하며 투명하게 성분과 제조 과정을 공개하는 제품들이 이 시장에서 더 큰 경쟁력을 가진다.

베트남 소비자들은 자신이 구매하는 제품에 대한 상세한 정보를 원한다. 제품의 모든 성분, 기능, 그리고 효과에 대한 설명이 구체적이고 상세할수록, 그 제품을 신뢰하고 구매할 확률이 높아진다. 따라서 베트남에서 제품을 홍보할 때는 한국보다 더 상세한 설명이 필요하다. 예를 들면, 베타크루칸이 어떤 제품에 포함되어 있다면 베타크루칸을 그냥 기재하는 것으로는 부족하다. 그 성분이 어떤 효과가 있는지 좀더 상세하게 설명하면 좋다. 최소한 이런 노력들을 한다면 의심 많은 소비자의 의심을 조금은 낮출 수 있다.

쉼터13 선점 효과

베트남은 지하수에 석회질의 함유량이 높아 일반적인 정수 처리로는 식수로 사용하기에는 부족하다. 그래서 안전한 물에 대한 수요가 높아 일찍이 베트남의 생수 시장은 크게 성장하였다. 현재 20여 개 이상의 생수 브랜드가 시장에서 경쟁하고 있다. Aqua, Dasani, Evian, Lavie 등 글로벌 브랜드 제품과 Viva, VINAWA, VINH HOA 등 로컬 브랜드 제품 등이 대표적이다. 가격은 500ml 기준 약 5천동(약 250원) 수준으로 대동소이하다. 그런데 한 가지 주목할 만한 점이 있다. 많은 브랜드 중에서 유난히 잘 팔리는 브랜드가 있다. Lavie라는 브랜드이다. 왜 이 제품이 다른 제품에서 비해서 잘 팔릴까? 그냥 마실 수 있는 물이어서 품질에 대한 차이가 크지 않다. 가격 또한 유사해서 가격 경쟁력에 차등이 있는 것도 아니다. 윌슨 베트남의 보고서에 따르면 그 이유는 단순했다. 소비자들이 그 브랜드가 가장 익숙하기 때문에 구매한다는 것이다. 이 사실은 베트남 진출을 원하는 기업들에게는 한 가지 성공 포인트라고 할 수 있다.

5) 베트남 유통은 이렇다.

베트남 소비재 시장으로 진출하고자 하는 기업은 선행 조사를 통해 시장 내 경쟁사의 존재 여부를 확인한다. 경쟁사가 시장에 존재하지 않는 경우, 이는 중소기업에게 유리한 상황으로 보일 수 있다. 하지만 실제로는 경쟁사가 없는 시장에서 제품을 소비자에게 홍보하고 인지시키는 것은 쉽지 않은 일이다. 그래서 베트남과 같은 신흥시장에서는 새로 시장을 개척하는 것보다는 경쟁사가 활동하고 있는 것이 기업에게 더 유리하다.

한국과 베트남은 유통 구조에서 차이가 있다. 한국의 유통 구조는 제조사, 대형 유통업체, 중간 유통업체 등이 협력하여 제품을 소비자에게 전달하는 체계적인 구조를 갖추고 있다. 반면 베트남은 대형 유통업체의 수가 제한적이며 유통 과정이 덜 체계화되어 있다. 또 베트남 온라인 시장은 아직 규모가 작고 신규 아이템이 온라인 시장에 진출하더라도 기업이 기대하는 결과가 나오는 않는다. 그래서 베트남에서는 오프라인 매장 입점이 성공적인 판매 전략의 핵심 역할을 한다.

뿐만 아니라 베트남 시장에서 경쟁사의 제품을 대체하는 것은 간단하지 않다. 기업의 시간과 노력뿐만 아니라 인맥과 비공식 비용 등 여러 가지 요소가 복합적으로 작용하는 시장이다. 따라서 경쟁사와의 경쟁에서 승리하기 위해서는 전략적 계획과 충분한 노력이 필요하다.

그럼 베트남에서 오프라인 유통 채널은 어떤 의미인가?

신규 제품의 평가 장소

베트남 시장에서 신규 제품은 주로 오프라인 유통 채널을 통해 평가된다. 브랜드의 중요성이 큰 제품일수록 오프라인 매장에서의 입점은 더욱 중요하다. 신제품이 시장에서 아직 충분한 평가를 받지 않은 상태에서, 소비자에게 직접 노출되는 오프라인 매장은 제품의 평가와 인지를 위한 핵심 장소로 작용한다.

온라인 유통 채널은 다양한 제품들이 경쟁하는 공간이기 때문에, 신규 제품의 판매는 어려울 수 있다. 특히 베트남의 온라인 시장은 아직 미성숙한 편이며, 오프라인 매장 입점은 제품의 성공을 위한 중요한 전략이다. 그래서 먼저 오프라인에서 인지도를 쌓은 후 온라인으로 진출하는 것이 좋다.

베트남의 다양한 오프라인 유통 채널, 지역별 특성, 그리고 소비자의 쇼핑 습관과 선호도를 고려하여, 기업들은 오프라인 매장 입점 전략을 세워야 한다. 결론적으로, 베트남 시장에서 신규 제품의 성공을 위해서는 오프라인 매장 입점이 필수적이며, 이를 통해 제품이 더 넓은 고객층에게 노출되고 평가받을 수 있다.

오프라인 채널에도 등급이 있다.

오프라인 유통 채널은 여러 단계로 구분된다. 식품, 화장품, 소형 생활 용품과 같은 카테고리의 제품들에게 첫 단계는 편의점이다. 최근 베트남에서는 편의점이 급속히 성장하며, Circle K, Bis Mart, Family Mart, GS25, 7-Eleven 등의 대표적인 체인이 활발하게 운영되고 있다. 또한, Massan 그룹은 Vinmart를 인수하여 Winmart로 브랜드명을 변경하며 시장에서의 위치를 확대하고 있다. 그렇지만 편의점에 제품을 입점시키는 것은 쉽지 않다. 바이어와의 협상, 제품 보관 및 입점 제안서 작성은 상당한 시간과 노력을 필요로 하며, 실제로 제품이 입점되기까지 약 1년 가량의 시간이 소요될 수 있다. 또 판매수수료가 높아 우리 기업이 원하는 수익을 얻기가 쉽지 않다. .

다음 단계인 2단계에서는 편의점에서의 판매 실적을 바탕으로 소형 마트에 제품을 진열한다. Citi Mart 같은 소형 마트들이 대표적이다. 그리고 2단계에서 어느 정도 제품이 인지도가 쌓이면 마지막으로 3단계에 도전할 수 있다. 물론 1단계나 2단계를 거치지 않고 바로 3단계인 Go Mart, Metro, Lotte Mart, Coop Mart와 같은 대형 마트에 입점할 수 도 있다.

편의점	대형 마트
Bis Mart	Go Mart
Family Mart	Citi Mart
GS25	Metro
7eleven	Coop Mart
Circle K	Lotte Mart
Winmart	An Nam Mart

그림2 오프라인 유통 체인

베트남 유통기업은 중소기업 제품에 관심이 없다.

우리 기업들은 그들의 제품이 넓게 퍼져갈 수 있는 대규모 유통기업과의 파트너십을 선호한다. 대규모 유통기업은 그들만의 강력한 마케팅 전략과 광범위한 유통 채널을 통해 제품을 소비자에게 효과적으로 전달할 수 있기 때문이다. 그러나 대다수의 이런 기업들은 이미 다른 대기업이나 유명한 기업들과 협력하고 있어, 우리 제품이 특별한 가치나 경쟁력을 보이지 않는다면 쉽게 그들과의 협력 기회를 얻기 어렵다.

반면, 중소규모의 유통기업들은 큰 기업들만큼의 자원이나 인프라를 갖추지 못했을 가능성이 높아서 큰 기업들과 협력을 바라는 우리 기업들은 이런 중소규모 기업과의 협력을 적극적이지 않는 경우가 많다. 또 이 중소규모 유통기업들 역시 한국의 대표적인 브랜드나 제품을 선호하는 경향이 있어, 상호 간의 협력에서 요구사항이나 기대치를 맞추기 어려운 상황이 자주 발생한다.

4. 베트남 바이어의 특성을 몰랐다.

베트남 전시회에 참가한 기업들이 경험할 수 있는 바이어들의 높은 관심은 확실히 기업들에게 긍정적인 신호로 보일 수 있다. 이러한 반응은 특히 수출에 대한 초기 기대치가 낮았던 기업들에게 더 큰 의미를 갖게 된다. 그러나 실제로 바이어들의 초기 관심이 장기적인 거래로 이어지는 경우는 드물다.

베트남 바이어들은 새로운 제품이나 혁신에 대해 호기심을 많이 갖는다. 그러나 실제 거래에는 여러 고려사항이 있으며, 전시회에서의 초기 관심은 그들의 구매 의사나 거래의 결정과는 다를 수 있다. 그럼 기업이 알아야 할 베트남 바이어의 특징에는 어떤 것들이 있는지 알아 보도록 하자.

1) 모든 것을 할 수 있다고 말한다.

베트남의 문화는 사회적 관계와 상호작용에서 체면을 중시하는 경향이 있다. 그들은 자존감을 중요시하며, 이를 통해 사회적 지위나 자신의 능력을 인정받는 것을 선호한다. 때문에 대화나 협상 과정에서 자신의 능력이나 자원을 과장하여 표현하는 경우가 있다. 이러한 행태는 그들이 상대방에게 믿음직스럽고 능력 있는 파트너로 인식되길 원하기 때문이다. 따라서 그들과의 비즈니스 상황에서는 이점을 참고하여 철저한 검증과 확인이 필요하다.

2) 중요한 사항에 대해서 애매모호한 행동을 취한다.

동남아, 특히 베트남의 사람들은 시간에 대한 개념이 우리와 조금 다르다. 그들의 일상에서는 '느긋함'이 큰 부분을 차지한다. 한국의 '빨리빨리 문화'와 대조적이다. 베트남에서는 특히 메콩-델타 지역처럼 1년에 여러 차례 수확이 가능한 지역에서는 생활의 리듬이 더욱 여유로웠다. 이런 문화적 배경 때문에, 베트남 사람들은 약속 시간을 정확히 지키지 않는 경우가 많다. 그들에게는 1시간 정도의 지연은 크게 문제되지 않는다. 그렇기에 전시회나 비즈니스 상황에서 우리 제품에 큰 관심을 표한 바이어도, 실제 거래나 응답에서는 지연이 발생하기 쉽다.

또 기업이 계약을 위해 제안을 할 때, 그에 따른 응답이나 합의는 양쪽 당사자 간의 소통을 통해 이뤄져야 한다. 하지만 베트남의 바이어들 중 일부는 제안에 대한 피드백을 적극적으로 제시하지 않는 경우가 흔하다.

예를 들어, 한 전시회에서의 초기 논의가 마무리되지 않아 추가 연락을 통해 합의점을 찾기로 한 상황에서, 우리 기업은 더 나은 조건을 제안하였다. 이런 제안에 대해 바이어의 긍정적인 반응을 기대하였으나, 실제로는 그들로부터 큰 반응이 없었다.

바이어의 이런 태도는 여러 이유로 인해 나타날 수 있으며, 그중 하나로 바이어가 더 나은 제안을 기다리고 있을 수도 있다. 이렇게 제안에 대한 반응이 느슨할 경우, 양측의 의사소통에 더 많은 노력이 필요할 것이다.

3) 독점권을 요구한다.

베트남 바이어들과의 거래를 진행하면 종종 그들이 독점권을 요구하는 경우가 있다. 이러한 요구는 베트남 유통 시장의 특성과 깊게 연관되어 있다.

베트남의 유통 시장은 다른 국가들과는 다르게 상대적으로 분산되어 있다. 중소규모의 바이어들이 서로 다른 영역에서 경쟁하며 시장을 형성하고 있는데, 이로 인해 바이어들은 자신들의 영역에서 경쟁 우위를 확보하기 위해 독점권을 요구하는 경향이 있다.

또한 베트남의 소비 문화는 특정 제품이나 브랜드에 대한 충성도가 높다. 이로 인해 한 번 고객의 마음을 얻으면 장기적으로 높은 매출을 기대할 수 있다. 바이어들은 이러한 특성을 고려하여 초기에 독점적인 유통권을 확보하고자 하는 것이다.

따라서 독점권 요구는 베트남 바이어의 일반적인 특성 중 하나이며, 이를 거부하는 대신 독점권 유지를 조건으로 둬서 상호 협력이 가능하다. 예를 들면 '1년에 20만 달러 이상의 매출을 달성하지 못할 경우 자동 해지'와 같은 조건을 계약서에 명시한다면 양측 모두 만족할만한 합의가 가능할 것이다.

4) 대부분의 바이어는 영세하다.

베트남의 경제 구조는 몇몇 대형 민간 기업을 제외하면 국영기업[7]이 차지하는 비중이 크다. 전력, 수도, 인터넷, 통신, 유통, 식품 등 다양한 부분에서는 국영기업이나 정부의 관여가 큰 기업들이 시장을 주도하고 있다. 이러한 독특한 시장 환경에서 외국 기업들은 이런 시장에 진입하려면 국영기업과 소수의 대기업들과의 협력이 필수적이다. 그 결과, 많은 외국의 대기업들이 그들과 협력을 추진하고 있다.

---

[7] 베트남 100대 기업 내 상위 20위 내 국영기업이 대부분 차지하고 있다. 석유, 가스, 식품, 전력, 은행, 등의 산업에 포진하고 있으며 유명기업으로는 PETRO VIETNAM, VIETTEL, EVN, VINAMILK 등이 있다.

이러한 동향을 고려할 때, 베트남 국영기업들과 소수의 대기업들이 우리 중소기업들과의 협업에 큰 관심을 갖지 않을 수 있다. 그래서 우리 중소기업들이 실제로 만날 수 있는 베트남 바이어 대부분은 소규모 기업이다. 그러나 소규모 기업이라고 해서 그들의 능력이 떨어진다는 의미는 아니다. 만약 소규모 기업이라도 높은 협력 의지와 신뢰성을 가지고 있다면 이들과의 협력은 우리 기업들에게 시장에서의 발판을 마련해줄 수 있다. 따라서 단순히 외모로 상대방을 평가하는 우를 범해서는 안된다.

5) 상대방에게 부정적인 말을 하지 않는다.

베트남 사람들은 보통 타인에 대한 부정적인 의견을 직접적으로 표현하기를 꺼려한다. 이 특성은 비즈니스 상황에서도 마찬가지다. 전시회 같은 장소에서 우리 기업과의 미팅을 진행할 때, 베트남의 바이어들은 대부분의 경우 우리 제품에 대해 긍정적인 의견을 표현한다. '디자인이 세련되었고, 품질이 우수하며, 가격 경쟁력도 있다'는 등의 칭찬을 자주 들을 수 있다. 하지만 이러한 긍정적인 피드백 이후에 실질적인 협상을 진행하려고 시도하면, 바이어들은 대개 '향후 메일로 상세한 내용을 논의하겠다'는 등의 방식으로 회피적인 태도를 보인다. 그리고 전시회가 끝나고 바이어들에게 메일로 연락을 시도하면 대부분의 바이어들은 답장을 하지 않는다.

이러한 상황은 우리 기업들에게 혼란을 줄 수 있다. 바이어의 칭찬이나 호감이 진실된 것이라면 협상이나 계약까지 이어져야 하는 것이 자연스럽지만, 실제로 그렇게 되지 않는 경우가 많다. 따라서 베트남의 바이어와의 거래에서는 그들의 긍정적인 반응에도 불구하고 실질적인 의사결정이나 행동으로 이어지지 않을 수 있다는 것을 기억해야 한다.

5. 경쟁사와 그들의 시장 진출 과정

베트남 시장에 진출하려는 중소기업들에게 경쟁사의 진출 전략과 과정을 깊게 분석하는 것은 필수적이다. 시장 조사나 제품 전략을 세우는 것만큼 중요한 것이, 경쟁사가 시장 진출을 위해 어떠한 전략을 취하였고, 그 결과로 어떤 성과를 얻었는지를 파악하는 것이다.

예를 들어, 경쟁사인 A사의 베트남 진출 과정을 살펴보자. A사는 초기에 베트남 전시회에 연속으로 참가하여 현지 바이어들과의 네트워크를 구축했다. 또한, 여러 차례의 미팅을 통해 바이어의 요구와 시장의 트렌드를 깊게 이해하려 노력했다. 이 과정에서 약 1만 달러의 비용이 들었음에도, 2년 동안의 끈

질긴 노력 끝에 바이어와의 계약을 체결하게 되었다. 처음 1년 에는 2만 달러의 거래를 이룩했으며, 다음 해에는 그 두 배인 5만 달러의 거래를 이룩하였다. A사는 또한, 바이어의 마케팅 활동에도 지원을 아끼지 않았다.

이러한 A사의 성공 과정을 살펴보면, 그들의 체계적이고 꾸준한 노력이 보인다. 중소기업들이 이를 간과하고, 경쟁사의 숨은 경쟁력을 무시한다면 우리 기업이 베트남 시장에서의 성공은 힘들 것이다.

A사의 이익과 투자금

- A사 투자금 = 4만달러 (전시회 4회 참가)
- 수출액 = 7만달러 (2회 수출)
- 지원금 = 1만4천달러 (수출액의 20%)
- 마케팅비 = 5천달러 (1회 지원)
- A사 이익 = 7만달러 – 3만8천달러-1만4천달러-5천달러 = 1만5천달러
* 보이는 이익 = 1만 5천달러
* 보이지 않는 이익 : 브랜딩, 바이어와 신뢰관계 구축, 판로 확대로 인한 제품 생산성 향상

그림3 경쟁사 예산

6. 베트남 직원들의 업무 문화와 특성

베트남의 기업 문화는 수평적이다. 기업 조직에는 대표와 관리자, 사원들이 있을 뿐이다. 최근 외국계 기업의 영향을 받아서 베트남 기업도 다양한 중간 직책에 대한 개념이 생겨나고 있지만 아직은 일반적이지 않다. 얼마나 수평적인 문화인지 베트남 기업의 회식 문화를 보면 알 수 있다. 회식 시 회사 대표와 경비원이 형 동생으로 호칭하면서 맥주를 마시는 문화이다. 한국기업에서는 상상하기 어려운 회식 문화이다. 베트남에서 이런 것이 가능한 이유는 직급이 있을 뿐 사람의 인권은 평등하는 개념이 작동하고 있기 때문이다.

또한 한국기업의 경우에는 어떤 직원이 업무와 관련해서 잘못한 부분이 있으면 상사가 바로 지적하지만 베트남은 상사가 바로 직원의 잘못을 지적하면 상당히 모욕적으로 받아들이는 경우가 많다. 그래서 직원에게 잘못한 부분에 대해서 가능한 조용히 언급하는 편이다.

이러한 문화적 차이 때문에 한국 기업들이 베트남에 진출할 때 문화적 어려움을 겪는 경우가 많다. 한국의 수직적이고 엄격한 기업 문화는 베트남에서 효과적이지 않을 수 있으며, 베트남 직원들과의 커뮤니케이션에서도 문제가 발생할 수 있다. 그럼 베트남 직원들의 일반적인 특성에 대해서 알아보도록 하자.

1) 가족이 우선이다.

베트남은 전통적으로 가족 중심의 문화를 가지고 있다. 가족은 개인의 삶에서 핵심적인 역할을 하며, 가족 간의 관계와 의무는 매우 중요하게 여겨진다. 이러한 문화적 특성은 직장 환경에서도 나타난다.

베트남에서는 직원들이 회사에 충성하는 것도 중요하지만, 가족에 대한 의무와 책임은 그것보다 더 중요하게 여겨진다. 따라서, 가족에 관련된 문제나 상황이 발생했을 때, 그들은 회사의 일보다 가족을 우선으로 여긴다. 이는 그들이 회사 일을 가

볍게 여기는 것이 아니라, 가족에 대한 애정과 책임감이 깊게 뿌리 박혀 있기 때문이다.

예를 들어, 가족 중 누군가가 병으로 인해 병원에 입원하게 되면, 그 직원은 병간호를 위해 장기 휴가를 요청할 수 있다. 이때 회사에서 그 요청을 거절한다면, 그 직원은 가족을 위해 퇴사를 결정할 수도 있다.

2) 이직을 자주 한다.

베트남의 직장 문화에서는 이직은 자주 일어나는 현상이다. 이는 국가의 빠른 경제 성장과 더불어 다양한 산업 분야에서 기회가 확장되고 있기 때문이다. 특히 젊은 세대의 직원들은 더 나은 경력 발전 기회나 더 높은 급여를 추구하는 경향이 강하다. 그들에게 있어 이직은 개인의 가치를 향상시키고, 더 나은 환경에서 더 좋은 조건을 얻기 위한 길로 여겨진다.

실제로, 이직 경험이 많은 사람들을 높이 평가하는 기업들도 많다. 그들은 다양한 환경에서의 경험과 유연한 사고를 가진 인재로 인식되기 때문이다. 이런 관점에서 보면, 이직은 자신의 능력과 가치를 시장에 증명하는 방법 중 하나로 볼 수 있다.

반면, 한국의 기업 문화에서는 잦은 이직을 부정적으로 바라보는 경향이 있다. 특히, 전통적인 기업 문화에서는 회사에 대한 충성과 장기간의 서비스가 중요한 가치로 여겨지며, 이직이 많으면 그 사람의 안정성이나 회사에 대한 애정을 의심받을 수 있다. 따라서 베트남에서 사업을 진행하는 한국 기업들은 베트남의 이직 문화를 참고할 필요가 있다.

3) 회사보다는 내가 우선이다.

베트남의 직장 문화는 개인의 권리와 워라 밸(work-life balance)을 중시하는 경향이 있다. 이는 베트남의 사회적, 문화적 배경뿐만 아니라, 최근 세대의 가치관에 크게 영향을 받는다. 특히, 젊은 세대의 직원들은 자신의 인생과 가치를 중요하게 생각하며, 그것을 희생시켜서 까지 회사에 충성하는 문화는 크게 공감하지 않는다.

정해진 근무 시간 내에서 업무를 철저히 수행하고, 그 외의 시간은 자신의 개인 생활과 가족에 투자하는 것을 선호한다. 이는 자신의 인생의 주인공이기 때문에, 자신의 권리를 지키려는 자연스러운 반응이라 할 수 있다. 그렇기에 업무시간 외에 추가로 근무를 요구할 경우, 그에 따른 대가를 당연하게 받아야 한다고 생각한다.

또한, 회사의 성과와 개인의 성과를 구분하여 생각하는 이유 중 하나는, 회사의 성과가 반드시 개인의 이익이나 성취로 이어지지 않는다고 인식하기 때문이다. 그들에게 있어, 회사의 성공은 그것 자체로 중요한 것이 아니라, 그 성공이 얼마나 자신의 성취나 이익으로 이어지는지를 더 중요하게 생각한다.

4) 베트남 직원은 한국 직원이 아니다.

베트남에 사업을 확장하려는 기업은, 중요한 인력 계획을 세울 때 현지의 특성과 직원들의 능력을 정확히 파악해야 한다. 한국 본사에서의 기준과는 다른 환경에서 업무를 수행하는 베트남 직원들의 특성을 이해하지 못하면 기업은 효율적인 인력 관리에 어려움을 겪을 수 있다.

한국 직원들은 그들만의 오랜 경험과 노하우를 가지고 있을 것이다. 반면, 베트남 직원들은 본사에서 근무한 경험과 노하우가 없고 한국 직원이 아니기 때문에 본사가 원하는 수준으로 당장 능력을 발휘하지 못할 가능성이 크다.

따라서 베트남 직원과 한국 직원의 차이를 깊이 이해하고, 그 차이를 고려한 맞춤형 인력 계획을 세워야 한다. 이를 간과하고 단순히 본사의 기준으로만 인력을 관리한다면, 기업의 효율성과 경쟁력이 떨어질 위험이 있다.

쉼터15 현지 직원의 배임과 횡령

R사는 베트남에서 생산한 제품을 미국으로 수출하는 기업이다. 처음에는 원료나 자재를 한국에서 수입했지만 제조원가를 낮추기 위해서 현지에서 대체 하기로 결정했다. 법인장은 영어만 가능했고 각 부서에 책임자들은 영어가 가능한 베트남인으로 구성되었다. 법인장은 구매팀장에게 현지에서 구매 가능한 원료나 자재 리스트 조사를 지시했다. 조사결과 현지조달 가능한 원료나 자재가 많았고 공급처는 100곳이 넘었다. 법인장은 구매가 자주 발생했기 때문에 사실상 구매팀장에게 권한을 위임했다. 3년 정도 시간이 지난 후 법인장은 익명의 투서를 받게 되었다. 구매팀장을 포함한 구매팀 전체가 공급 업체로부터 커미션을 받고 있다는 내용이었다. 외부 감사를 통해서 조사를 진행했고 투서의 내용이 사실로 드러났다. 구매팀 전체가 공모해서 회사에 대한 배임과 횡령을 하고 있었던 것이다. 그 액수도 상당해서 형사고발을 했지만 처벌이 가능할지는 미지수다.

기업의 준비가 부족했다.

필자는 어느 날, 베트남 진출을 계획하고 있던 중견 음료 회사와 상담의 자리를 가졌다. 그런데 그들은 베트남 시장에 발을 디디려 했지만, 알아야 할 필수 정보들, 예를 들면 베트남의 지역적 특성, 유명한 유통기업, 현지 소비자의 소득 수준, 그리고 경쟁사에 대한 정보 등에 대한 이해가 부족했다. 필자는 그들에게 베트남 시장 진출 전략을 듣고자 했지만, 불행히도 그들이 준비한 것은 거의 없었다. 이러한 부족한 준비로 어떻게 베트남에서 성공할 수 있을까?

사실, 이것은 이 회사만의 문제가 아니다. 생각보다 많은 기업들이 이와 같은 상태로 해외 시장 진출을 추진하고 있다. 이러한 기업들에게는 대개 기업 내부에 문제가 존재한다. 그럼 기업들이 어떤 준비가 부족했는지 알아보도록 하자.

- 구체적인 진출 계획 없다.

- 해외영업 직원이 없다.

- 로마에서 로마법을 따르지 않는다.

- 마케팅의 중요성을 알지만 준비하지 않는다.

- 정부 지원사업을 활용하지 않는다.

- 기업 대표가 문제다.

1. 구체적인 계획이 없다.

여행을 계획할 때, 우리는 여행지, 일정, 숙소, 교통 수단, 예산 등 세부사항을 철저히 고려한다. 비행기 표를 구매할 것인지, 아니면 자가용을 이용할 것인지도 결정해야 한다. 이렇게 구체적인 준비 없이 여행을 떠나게 되면 여행은 불편함과 문제의 연속이 될 수 있다. 마찬가지로 해외 시장 진출도 세부적인 계획 없이는 위험하다. 그럼에도 불구하고 많은 기업들은 '베트남에 진출하고 싶다'는 희망 사항은 있지만 구체적인 계획이 없는 경우가 많다.

계획	WHO	WHEN	WHERE	WHAT	HOW	WHY	예산
가족여행계획	4명	12월2~6일	제주도	여행	비행기	친목	백만원
실패한 기업의 계획	미정	미정	베트남	바이어 발굴	미정	수익	미정

그림4 계획 비교

2. 해외영업 직원이 없다.

해외 시장을 공략하기 위한 적절한 계획과 전략, 그리고 이를 실행할 전문적인 인력은 기업의 해외 진출 성공에 필수적인 요소다. 그럼에도 불구하고, 많은 기업들이 이를 등한시하거나,

본래의 업무와 다른 해외 영업 업무를 갑작스럽게 맡기는 경우가 허다하다. 이러한 행태는 기업의 대표나 경영진의 해외 시장에 대한 단기적인 관점 혹은 인력 부족으로 인한 임시방편적인 대응에서 비롯된다.

이러한 상황은 베트남과 같이 정보 획득이 어려운 국가에서는 더욱 큰 문제로 작용한다. 베트남 바이어와의 의사소통도 쉽지 않은데다, 올바른 계약을 이끌어내기 위한 서류나 절차에 대한 이해가 부족하면 미미한 문제에서 큰 장애가 발생할 수 있다.

안타깝게도 이러한 문제들은 대개 해외영업 전문 직원의 부재로 인해 발생한다. 해외 영업 직원 한 명이라도 기업에 있었다면, 그만큼의 장애를 빠르고 효율적으로 극복하고 해외 시장을 성공적으로 개척할 수 있었을 것이다.

쉼터16 **인력에 대한 투자**

10년 전 동종 업체이며 매출액도 거의 비슷한 두 기업이 베트남에 있었다. 두 기업의 주 고객이 베트남에 진출한 한국 기업인 것도 같았다. 인력 구성은 한국인 법인장 1명에 한국 직원 1명 그리고 나머지는 모두 베트남 직원들로 약 50여 명이었다. 이처럼 두 기업은 규모도 비슷했고 양사 모두 매출확대를 희망하고 있었다. 하지만 양사의 해결책은 전혀 달랐다.

▶ A사의 생각: 매출이 늘면 한국인 직원을 채용하겠다.

▶ B사의 생각: 매출을 늘리기 위해서는 한국인 직원이 필요하다.

비슷한 생각인 것 같지만 10년 후 그 결과는 많은 차이가 있었다. A사는 지금도 10년 전과 유사한 규모를 유지하고 있는 반면에 B사는 매출액이 10년 전에 비교해서 10배 가까이 성장한 회사가 되어 있었다.

3. 로마에서 로마법을 따르지 않는다.

특정 시장에서 성공한 제품이라고 해서 다른 시장에서도 반드시 성공할 것이라고 기대해서는 안 된다. 이는 제품의 성공에 영향을 미치는 다양한 요인들이 각 시장마다 고유하게 작용하기 때문이다. 성공을 결정하는 키는 품질, 가격, 브랜드 가치,

마케팅 전략, 현지화 정책 등 여러 가지 요소가 조합되어야 하는데, 이러한 조합이 시장의 특성과 소비자의 니즈와 부합해야만 성공할 수 있다.

그러나 많은 기업들이 베트남 시장 진출 시에 이러한 부분을 간과하고, 한국에서의 성공 경험만을 믿고 무작정 적용하려는 경향이 있다. 이로 인해 유명 브랜드나 우수한 제품임에도 불구하고 현지화 부족이나 가격 측면에서의 잘못된 판단으로 인해 베트남 시장에서 실패하는 경우가 많은 것이 현실이다.

그림5 로마에서는 로마법을 따르라

쉼터17 **로마법과 실패와 성공**

세계적으로 유명한 M사가 있다. 이 기업은 2000년 초 베트남에 진출했다가 실패한 경험이 있다. 그리고 몇 년 후 다시 베트남 시장에 진출했고 현재까지 성공적으로 시장에 정착했다. 이 기업이 처음에는 실패했고 나중에 성공한 이유가 있다. 처음에는 외투법인으로 진출해 현지에 협력할 수 있는 기업이 없었다. 또 프랜차이즈 관련 법규도 정확히 없는 상황에서 법적인 보호도 받지 못했다. M사의 주력상품인 햄버거는 당시에는 대중적이지 않았으며 가격도 높아서 소비자들이 쉽게 접근하기 어려웠다. 결국 M사는 실패하고 시장에서 철수했다. 그러나 몇 년 후 M사가 다시 베트남 시장에 진출할 때에는 과거와는 다른 새로운 전략을 세웠다. 현지에서 유명한 파트너와 협력해서 진출했다. 그리고 대대적은 홍보를 했으며 매장의 위치도 가장 번화가 중심으로 오픈했다. 또 중요한 포인트 중 하나인 신 메뉴가 포함되었다. 기존의 자사의 햄버거 제품 외에 베트남 사람들이 일반적으로 식당에서 먹는 음식을 저렴한 가격으로 준비해서 메뉴에 넣었다. 또 미끼 상품인 아이스크림을 저렴하게 판매해서 고객들은 매장으로 이끌었다. 처음에는 로마에서 로마법을 따르지 않아 실패했고 나중에는 로마법을 따라서 성공한 사례이다.

4. 마케팅의 중요성을 알지만 준비하지 않는다.

사업은 투자의 연속이며, 특히 마케팅 예산은 그 중에서도 핵심적인 부분을 차지한다. 성공적인 사업 계획, 혁신적인 아이디어, 뛰어난 인력, 그리고 충분한 시간이 준비되어 있어도 마케팅 예산이 부족하면 베트남과 같은 후진국 시장에서는 성공하기 어렵다. 그럼에도 불구하고, 일부 기업들은 이 중요성을 간과하거나 무시하고 있다.

베트남에서의 성공적인 시장 진출은 바이어와의 긴밀한 협력을 필요로 한다. 그런데 아쉽게도, 일부 기업들은 바이어와의 협력을 위해 필요한 마케팅 예산을 제대로 확보하지 않는다. 더욱이, 바이어에게 마케팅의 전체 부담을 떠넘기려는 경향까지 보이고 있다.

과거에는 베트남의 바이어들이 대부분의 마케팅 활동을 주도했다. 하지만, 현재의 글로벌화된 시장 환경에서는 바이어만의 노력으로는 성공하기 힘들다. 그럼에도 실패한 기업들은 이 변경된 환경을 인지하지 못하거나, 고의로 무시하여 필요한 마케팅 투자를 회피했다.

5. 정부지원 사업을 활용하지 않는다.

한국 정부는 중소기업들의 성장을 위해 다양한 프로그램과 지원을 제공하며, 중소기업들이 이런 지원을 적극 활용하면 해외에서의 사업 활동이 활기차게 진행될 수 있다. 스타트업 육성, 제품 개발 지원, 해외 시장 조사, 전시회 참가, 바이어 발굴 등은 기업 스스로 진행하기에는 시간과 비용이 많이 소요되는 활동이다. 그러나 정부 지원을 받으면 이런 부담을 크게 줄일 수 있다. 또한 광역자치단체 및 지원 기관들도 많은 프로그램을 운영하고 있다. 이들 기관을 통해 다양한 사업 지원을 받거나 필요한 정보를 얻을 수 있다. 그러나 불행히도, 많은 기업들이 이런 지원을 제대로 활용하지 않는다. 몇몇 기업은 지원사업의 존재조차 모르며, 알고 있더라도 어떻게 활용해야 할지 모르는 경우가 대다수다.

정부의 지원은 중소기업이 해외 시장에서 경쟁력을 가지게 해주는 중요한 자원이다. 현대의 글로벌 시장은 복잡하고 경쟁이 치열하다. 이런 환경에서 성공하기 위해서는 기업 스스로의 노력뿐만 아니라, 다양한 지원과 협력을 받아야 한다. 그러나 실패하는 기업들은 이러한 외부의 도움과 협력을 무시하거나 활용하지 않는다.

쉼터18 베트남 기업의 상표 도용

베트남은 지적재산권에 대한 개념이 매우 희박한 국가다. 학교에서 조차 복사물을 판매한다. 또 게임 프로그램이나 오피스 프로그램, 각종 소프트웨어 제품 등 정품을 사용하는 경우는 매우 드물다. 실제 마이크로소프트에서 베트남 모 기업을 상대로 지식재산권 침해 소송을 제기했고 결과적으로 승소했다. 하지만 승소하는데 걸린 시간과 비용 등을 감안하면 사실상 배상을 받기 위해서라기보다는 '복제품을 사용하면 소송을 하겠다'는 상징적 의미의 소송이었다. 만약 우리 기업이 상표를 통해서 경쟁력을 강화할 필요가 있다면 상표권 출원 및 등록은 필수이다. 특허청은 우리 기업들의 상표권을 포함한 지적재산권을 보호하기 위해서 KOTRA 현지 무역관에 IP센터를 위탁 운영하고 있다. 기업에게 비용 지원도 하고 있으니 반드시 활용할 필요가 있다.

6. 기업의 대표가 문제다.

기업의 성패는 주로 그 기업의 대표의 능력과 판단에 의해서 결정된다. 기업은 경쟁에서 성과를 거두고 지속적인 성장을 이루어내기 위해 강력한 경쟁력을 확보해야 한다. 이러한 경쟁력은 기술, 서비스, 제품, 정보 등 다양한 측면에서 경쟁사를 앞서야 한다. 그러나 뛰어난 경쟁력을 갖춘 기업조차도, 그 경쟁력을 최대한 활용하지 못한다면, 그 가치는 무용지물이다. 특히 중소기업의 경우, 대표의 역할과 마음가짐이 기업의 성장과 직결된다. 뛰어난 대표는 뛰어난 성과를 내고 못난 대표는 좋지 않은 성과를 낸다. 필자는 다양한 기업의 실무자들과 상담을 통해 그들의 고민을 들었다. 이러한 고민들은 주로 대표와 관련된 문제들로 이루어졌다. 이들과의 상담을 통해 몇 가지 공통적인 고충을 정리해보았다.

쉼터19 실무자들의 고충들

"우리 대표님은 직원들의 말을 잘 듣지 않아요. 본인이 모든 분야의 전문가로 착각하세요. 이쪽 분야는 제가 10년 넘게 진행해서 제가 더 잘 알고 있는데도 말이죠"

"해외 영업에 대해서 경험이 없으신 분이 일일이 지시를 하시는데 전혀 방법이나 방향이 잘못된 거예요 그런데 대표님에게 반론을 할 수가 없어서 답답했어요"

"작은 것부터 일일이 지시를 하세요. 심지어 출장 때 이용할 항공사와 호텔도 이미 정해져 있어요. 출장비는 정해져 있는데 말이죠."

"신규 사업 구상은 백지에서 시작해야 되는데 대표님이 이미 그림을 다 그려 넣고 어떤 색깔이 더 좋을까라고 질문하세요. 심지어 빨간색이 좋지 않겠어? 라고 되물으시죠. 본인이 다 정해 놓고 왜 질문을 하시고 시장조사를 하라는 지 모르겠어요."

"현지에 맞는 운영 방법이 있는데 한국에서 베트남 현지 운영까지 일일이 말씀하세요. 이론과 현실은 다른데 말이죠. 말만 하지 마시고 본인 직접 현장에서 경험해 보시면 좋겠어요"

"전시회 참가가 이번이 두 번째인데 다음에는 참가하지 않을 생각입니다. 전시회 참가를 하면 실적을 바라는 대표님의 마음은 알겠지만 그렇게 쉽게 성과가 나면 저도 사업하죠. 이번에 전시회에서 성과 없으면 질책하겠다는 대표님의 말을 듣고 나서 참 마음이 답답했습니다. 다음부터는 그냥 가만히 시키는 것만 할 생각입니다. 그리고 다른 회사 찾아 봐야죠. "

"정말 힘들게 좋은 거래처를 확보했어요. 대표님은 "그 월급 받고 한 게 머냐? 능력이 그것 밖에 안되느냐' 등등 심적으로 스트레스가 심했어요. 그런데 거래처 발굴을 못하는 것에 대한 질책은 큰 반면에 성과에 대한 보상은 없었죠."

회사 내 담당자들과의 상담을 통해 종종 상기한 내용과 유사한 문제를 자주 접하게 된다. 이러한 고충들을 해결하기 위해서는 대표가 그들의 고충을 주위를 주의 깊게 듣고 그들의 목소리를 경청해야 하지만 사실 그렇지 못한 경우가 허다하다. 그럼 못난 대표들이 가진 공통적인 특징은 어떤 것일까?

1) 인재 육성에 관심이 없다.

법인(法人)은 주로 법적인 측면에서의 개념으로 인식되나, 그 실체는 사람들의 집합체이다. 대표부터 사원에 이르기까지 각각의 개인은 해당 법인의 인재들이며, 어떤 인재가 기업에서 속해 있는지는 매우 중요하다. 왜냐하면 이 인재의 능력과 육성 여부는 기업의 성장을 결정짓기 때문이다. 그런데 중소기업에서는 외부에서 우수한 인재를 채용하기 어려운 경우가 많다. 따라서 직원을 내부에서 성장시키는 것이 현실적인 방안이다. 하지만 놀랍게도 많은 중소기업 대표들이 스스로의 기업 내 인재 육성에 관심이 없다. 이는 중소기업의 성장 잠재력을 크게 저해하는 요인 중 하나이다. 이렇게 직원의 성장과 발전에 투자하지 않는 기업은 결국 성장의 한계에 직면하게 될 것이고 이러한 기업에게는 어떤 인재도 자신의 미래를 맡기지 않을 것이다.

2) 대표가 모든 영역에서 만능이 되고자 한다.

기업의 다양한 분야에서 활동하며, 다양한 배경을 가진 대표들과 만나볼 기회가 있었다. 이들 대표들은 개발자, 엔지니어, 디자이너 출신 등으로 그들의 전문 분야에서는 뛰어난 역량을 갖추고 있었다. 그들의 전문성을 바탕으로 창업한 것은 큰 가치를 지닌 결정이었다.

그러나 회사의 모든 영역에서 자신이 전문가처럼 행동하려는 이들의 태도는 때로 문제를 일으키기도 한다. 예를 들어, 해외 영업의 전문성을 갖춘 담당자가 있음에도, 해외 바이어와의 상담이나 영업 전략 등에 대해 대표 스스로가 주도하려고 하는 경우가 있다. 심지어 베트남 진출 같은 중요한 사업 계획에서도 기획 부서의 전문가 대신 대표가 직접 계획을 세운다.

이러한 대표들의 행동의 근본적인 원인은 담당 직원들을 충분히 신뢰하지 않는 데에 있다. 이런 대표들은 자신의 전문성과 경험만을 믿고, 다른 직원들의 능력과 지식을 경시하거나 무시하는 경향이 있다. 이로 인해 담당자들의 역량은 제대로 발휘되지 못하며, 그 결과 회사 전체의 성장과 발전에 역효과를 주게 된다. 이처럼 못난 대표들은 담당자의 업무 능력을 신뢰하지 않는다.

3) 대표가 자사 제품을 평가한다.

제품의 가치에 대해 대표와 소비자 간의 견해 차이는 언제나 큰 이슈로 다가온다. 특히 기업의 대표라면 그 제품에 담긴 노력과 미션, 그리고 그것이 지닌 독특한 가치를 잘 알고 있다.

대화를 나누는 많은 대표님들은 필자에게 그러한 자부심을 언급한다. '우리 제품은 최상급 품질로, 대형 브랜드 제품과 견주어도 손색이 없는데 가격은 훨씬 합리적이다.'

이런 자부심은 물론 기업을 운영하는 데 필수적인 열정에서 나오는 것이다. 그러나, 그것이 시장에서의 실제 반응과 어긋난다면, 그 자부심은 큰 문제로 이어질 수 있다. 왜냐하면 제품의 성공은 대표의 평가가 아닌, 소비자의 반응에 따라 결정되기 때문이다. 즉, 소비자의 반응, 그것이 제품의 진정한 가치를 결정짓는다. 시장에서의 성공은 소비자가 제품에 보이는 관심과 그에 따른 판매량, 그리고 재구매율 등에 의해 측정된다. 따라서 대표는 그 제품에 대한 자신의 주관적인 평가 대신 시장의 반응과 트렌드를 주시해야 한다.

무엇보다 중요한 것은 대표가 이 사실을 인지하고 있느냐의 문제다. 제품에 대한 무한한 자신감은 좋지만, 그것이 현실과 동떨어져 있다면, 조속히 시장의 피드백을 받아들이고 조정하는 자세가 필요하다. 아무리 훌륭한 제품이라 해도 시장의 반응을 무시한다면 그 제품의 가치는 크게 떨어진다. 그러나 못난 대표는 이점을 인정하지 않는다.

4) 신상필벌(信賞必罰)이 없다.

내수 기업들은 주로 자체 기술과 노하우를 기반으로 국내 시장에서 성장해왔다. 그러나 글로벌 경쟁의 증가로 인해 내수 시장만으로는 기업의 장기적인 성장을 보장하기 어려워졌다. 따라서 많은 중소기업들은 해외 시장으로의 진출을 고려하고, 해외 영업 경험을 가진 전문가를 채용한다.

그러나 몇몇 중소기업의 대표자들은 종종 이러한 해외 시장 전문가들의 능력과 경험을 충분히 인정하지 않고, 업무에 대한 간섭과 통제를 시도하는 경우가 있다. 이로 인해 담당자들은 업무 수행에 대한 부담을 느끼게 되며, 이는 효율적인 업무 수행과 성과 달성을 저해하는 결과로 이어진다.

대표자들은 해외 시장에 대한 이해도가 부족한 경우가 많아, 담당자들의 계획과 예산 요청에 의구심을 품기도 한다. 이러한 의구심은 담당자들의 업무에 대한 자신감을 훼손하고, 성과 달성을 어렵게 만다. 사실 단순히 몇 번의 전시회 참가만으로 쉽게 해외 시장을 개척하기 어렵다는 현실을 대표들은 인지하지 못한 채, 담당자에게 불합리한 기대와 압박을 가하는 경우가 많다. 반면 그들의 성과에 대해서는 침묵한다. 이는 실패한 기업 대표의 전형적인 모습니다. 이 기업의 해외 담당자는 다른 수출 기업으로 이직을 고려할 것이다.

5) 바이어와의 협력에 매우 소극적이다.

베트남 진출에 실패한 기업의 대표들의 주요 실수 중 하나는 신규 아이템 개발에는 투자를 아끼지 않으면서도, 시장 진출에 필요한 마케팅 예산에 대해서는 소극적인 태도를 보이는 것이다. 그 이유는 마케팅의 중요성을 인식하지 못하거나, 인식하더라도 바이어에게 마케팅 책임을 떠넘기려는 생각 때문일수 있다. 스타트업이나 내수 중심의 기업들이 해외시장에 첫발을 딛을 때, 이런 실수를 자주 범하는 것으로 보인다.

한 화장품 기업의 담당자는 이렇게 전했다. "제품이 시장에 출시될 때, 예상되는 전체 예산 중 '생산비용은 30%이고, 마케팅비용은 70%를 차지한다'." 이 말은 제품의 품질만큼이나, 그 제품을 시장에 어떻게 소개하느냐가 중요하다는 것을 시사한다. 특히 베트남과 같은 복잡한 유통 구조를 가진 시장에서는, 바이어와의 협력이 매우 중요하다.

하지만, 마케팅 예산을 배정하지 않거나 충분히 활용하지 않는다면, 이는 바이어와의 협력을 중시하지 않는다는 메시지가 된다. 어떻게 이런 전략으로 시장에서 경쟁력을 가질 수 있겠는가?

간단한 예를 통해 보자. "A는 집 근처의 편의점에 들러 맥주를 사려고 했다. 하지만 그가 원하던 제품은 없었고, 다른 신제품

두 가지 중 선택을 해야 했다. 한 제품은 3,000원, 다른 제품은 2,800원이었다. 둘 다 처음 보는 제품이었지만, A는 가격이 조금 더 저렴한 2,800원짜리 제품을 선택했다."

여기서 잠깐! 2천800원짜리 맥주가 판매된 이유는 무엇인가? 제품이 고객이 원하는 시간과 장소에 있었고 경쟁 제품보다 가격이 저렴했기 때문이다. 제품을 생산만 하고 창고에 보관만 하고 있다면 아무리 제품이 좋고 가격이 저렴해도 A라는 고객은 그 제품을 구매할 수 없다. 그래서 제품은 창고가 아닌 시장에 있어야 하고 시장에서 유통되기 위해서는 현지에서 많은 비용과 노력이 필요하다. 그러나 못난 대표는 바이어와 협력할 생각이 없다.

쉼터20 소비자 구매 과정

> 제품인지→ 관찰→ 제품 비교→ 구매→ 평가→ 재구매

▸제품인지 단계

먼저 제품이 판매가 되기 위해서는 고객이 신규 제품에 대한 인지를 해야 한다. 소비자가 자사 제품을 인지하기 위해서는 제품에 대한 홍보가 필요하다.

▸제품 관찰 단계

유사한 제품을 구매하던 고객이 우리 제품에 대한 좀 더 상세한 정보를 조사하는 단계이다. 이 단계에 이르기까지는 많은 시간이 소요된다. 특히 베트남의 경우 신규 제품이 시장에 진출하면 바로 구매하지 않고 상당기간 동안 관찰한 후 구매하는 단계로 연결된다.

▸제품 비교 단계

기존 제품과 비교하면서 신규 제품의 장단점을 확인하게 된다. 신규 제품이 경쟁에서 승리하기 위해서는 무엇인가 장점이 있어야 한다. 베트남은 제품의 정보를 지인을 통해서 얻는 경우가 많으며 페이스북 등을 통해서 제품에 대한 정보를 공유하기도 한다.

▶구매 단계

소비자 입장에서 신규 제품에 대한 호감이 생겨 1차 구매가 이루어진다. 베트남은 브랜드가 없는 신규 제품의 경우 오프라인이 아니면 구매가 이루어질 가능성이 매우 낮다. 시장에서 인지도가 생기고 난 후부터는 온라인에서도 판매가 이루어진다.

▶평가 단계

제품을 사용하고 난 후 소비자의 반응이다. 이때 긍정적인 평가가 더 높으면 재구매로 이루어진다. 베트남 소비자들은 사용 후기에도 관심을 가지기 때문에 우리 기업은 이점을 잘 활용할 필요가 있다.

정식 마케팅 용어: 인지> 정보 탐색> 대안 평가> 구매 결정> 평가 임. 예를 들면 샴푸 구매 과정을 다음과 같이 정리가 가능함. 머리가 가렵다> 무엇을 사용할까? > 샴푸> 아내에게 조언을 구함> 점포 방문> 상품비교> B샴푸 구매> 머리 감기> 머리 가려움이 없어졌는지 확인 > 재구매

6) 두 마리 토기를 잡으려다 한 마리도 못 잡는다.

우리 기업들의 베트남 진출 전략은 주로 수익창출을 중점으로 하고 있다. 그러나 베트남 진출 과정에서, 자사 제품의 품질은 베트남 시장에서 경쟁력을 갖추고 있지만 제품의 인지도가 부족하여 판매가 어려운 경우가 발생한다. 이러한 상황에서 기업은 결정의 중심에 서 있으며, 주요 목표가 수익을 극대화하는 것인지, 아니면 베트남에서의 제품 인지도 향상인지를 결정해야 한다. 중소기업들은 이 두 가지 목표를 동시에 추구하기 어렵고, 다른 기업들도 이를 모두 달성하는 것이 어려운 현실이다. 수익을 주요 목표로 삼는 경우, 높은 가격과 다양한 바이어와 협력하는 전략이 필요할 것이며, 반면 제품 인지도 향상이 주요 목표라면 경쟁력 있는 가격을 제시하여 바이어의 관심을 끌어야 한다.

만약 다른 시장에서 안정적인 수익을 창출할 수 있는 상황이라면, 베트남과 같은 잠재력이 있는 시장에서는 인지도 향상이 더욱 중요할 수 있다. 왜냐하면 제품의 인지도가 지금은 별거 아닌 것처럼 보이지만 향후 기업의 큰 무형의 자산이 될 수 있기 때문이다. 그러나 실패한 기업의 대표는 수익창출도 하고 싶고 인지도도 올리고 싶은 욕심 때문에 한 가지 목표도 달성하지 못한다.

쉼터21 **의류 기업의 실패**

G사는 의류를 생산하고 유통하는 기업이다. 베트남 진출을 결정하고 중산층을 타깃으로 사업 계획을 수립하였다. 제품이 다양하고 가격경쟁력이 있어 협력 바이어를 발굴했다. 바이어는 G사의 진출 계획에 동의하였고 중저가 브랜드로 제품을 런칭하기로 했다. 바이어는 G사의 제품을 수입하여 유명 쇼핑몰에 매장을 오픈하고 유명 잡지에도 제품을 홍보하는 등 약 1년 동안 브랜드 인지도 향상을 위해서 노력하였다. 1년의 시간이 지나자 제품에 대한 고객들의 우호적인 반응이 나타났고 매출도 늘어났다. 그래서 G사의 시장 진출이 성공하는 듯 보였다. 그런데, G사 제품이 유명해지자 바이어의 경쟁사들이 G사에 제품에 관심을 보였다. 그들은 G사의 관심을 끌기 위해서 대규모 구매를 제안했다. G사는 대규모 수익 창출과 기존 바이어와의 신뢰관계에서 갈등했다. G사가 선뜻 제안을 받아들이지 않자 경쟁사들은 이미 수출한 제품이 아닌 다른 제품만 수입하겠다고 제안했다. 이런 경쟁사들의 제안에 G사는 같은 모델이 아닌 다른 모델이면 상관이 없다고 생각하고 기존 바이어와 상의 없이 경쟁사들에 제품을 수출했다. 문제는 곧 발생했다. 디자인만 달랐지 동일 브랜드였고 기존 바이어는 마케팅에 예산을 많이 쓰는 반면 경쟁사들은 별도로 마케팅을 진행하지 않았다. 기존 바이어는 유명 쇼핑몰에서 제품을 판매하다 보니 판매 가격이 다른 경쟁사들에 비해서 높을 수밖에 없었다. 당연히 예전만큼 판매가 되지 않았다. 이런 부진을 보고 G사에게 배신을 당했다고 생각한 바이어는 더 이상 마케팅 활동을 하지 않고 수입도 중단했다. 경쟁사들은 처음부터 마케팅을 할 생각도 없었고 기존 바이어가 마케팅 활동을 하지 않자 서서히 판매량이 떨어지게 되었다. 결국 세 바이어 모두 추가 오더를 하지 않았고 G사는 실패하고 말았다.

7) 공(公)과 사(私)를 구분하지 못한다.

창업 초기의 기업은 시장에 알맞은 아이템을 가지고 있어야 한다. 그러나 아이템을 기획하고 개발하는 것은 쉽지 않으며, 개발 후에도 단기간내에 수익을 기대하기는 어렵다. 또 시장에 진출하고, 유통과정을 거쳐야 실질적인 평가를 받을 수 있고 이 모든 과정에는 큰 비용과 시간이 요구된다. 그래서 이러한 어려움을 극복하기 위해, 많은 중소기업들은 가족 구성원들과 함께 기업을 운영하기도 한다.

가족 중심의 경영은 초기에는 기업에 유리한 점이 많다. 하지만, 사업이 성장하면서, 가족 경영의 한계와 문제점이 드러나게 된다. '견제와 균형의 원리'가 제대로 작동하지 않을 수 있고, 외부와의 소통이 제한적이 될 수 있다. 회사 내의 규정이나 원칙은 가족 구성원에게는 유동적으로 적용되기도 한다. 이러한 상황은 기업의 성장을 방해하며, 직원들의 사기를 저하시킬 수 있다.

이러한 문제의 원인 중 하나는 기업의 대표가 자신과 기업을 분리하지 못하고, '공과 사'를 명확히 구분하지 못하는 것에 있다. 실패한 기업의 대표들 중 많은 이들이 이러한 문제를 인식하지만, 적절한 조치를 취하지 않거나 의도적으로 무시한다. 그 결과, 그런 기업들은 가족들을 제외한 다른 직원들의 높은 이직률을 경험하게 된다.

8) 자신의 부족함을 인정하지 않는다.

지금까지 열거한 못난 대표들의 특징들이 대표 자신에게 해당된다는 점을 알고 있지만 못난 대표들은 이런 비판을 인정하지 않거나 이런 내용을 알기를 원치 않는다. 왜냐하면 그들은 이를 받아들이는 것이 자신의 권위나 리더십에 영향을 미칠 것이라고 생각하기 때문이다. 하지만, 대표의 자기 인식과 자기 비판은 조직의 건강과 성장에 있어 중요한 요소이다. 이를 통해 대표는 자신의 약점을 보완하고, 팀과 조직의 문제점을 개선하는 데 필요한 변화와 혁신을 주도할 수 있게 된다.

쉼터22 못난 대표 리스크를 공유하지 않는다.

공장들이 주로 사용하는 제품중에 윤활유가 있다. 이런 공장들은 윤활유를 직접 수입하지 않고 수입된 제품을 현지에서 구매한다. 그래서 수입자 입장에서는 이런 공장들이 자신들에게는 고객이 된다. 만약 수입자가 신규 제품이 있고 이 제품을 사용하게 되면 생산성이 올라가서 장기적으로 보면 공장에 유익하지만 신규 제품을 테스트하고 고객을 설득하기 위해서는 많은 비용이 든다. 이런 상황에서 수출자가 물건만 팔려는 생각을 가지고 있고 바이어와 리스크를 공유하고자 하는 마음이 없다면 당장에는 이익을 얻을 수 있지만 장기적으로 협력 관계를 유지하기는 어렵다. 시장에는 항상 대체품이 있기 때문이다.

쉼터23 못난 대표는 마케팅에 협조하지 않는다.

일반 제품은 유통기한이 있다. 특히 베트남 소비자들은 제품의 유통기한에 매우 민감한 편이다. 그래서 제품의 유통기한이 1년 이하라면 판매하기 어렵다. 만약 조미김처럼 유통기한 1년인 제품인 경우에는 6개월 이상 기한이 남지 않았다면 판매가 쉽지 않다. 이러한 이유로 바이어는 제품의 가격을 할인하여 재고를 소진하려고 한다. 그런데 제품 할인과 더불어 마케팅을 진행하면 비용 부담이 크기 때문에 우리 기업에 협조를 구한다. 특히 베트남은 바이어들이 영세하고 마케팅 능력이 부족해 마케팅에 대한 협조 요청이 빈번하다. 그러나 실패한 기업의 대표는 이 제안에 대해서 적극적으로 대처하기보다는 샘플을 조금 지원하는 정도로만 반응한다. 이런 정도로는 마케팅에 도움이 되지 않기 때문에 바이어는 우리 기업의 태도에 실망하게 된다. 할인 행사를 통해서 판촉이 잘된다면 다행이지만 결과가 좋지 않을 경우에는 바이어는 우리 기업과의 관계를 다시 고려하게 될 것이다.

III

실패 가능성을 줄이기 위한 전략과 준비

기업들이 해외시장, 특히 베트남에 진출을 고려할 때 성공의 지름길이나 확실한 방법론은 없다. 성공을 위한 기본적인 요소로 준비와 실행이 거론되곤 하는데, 이것만으로 완전한 성공을 보장하기는 어렵다. 단순히 준비와 실행이 있었다고 해서 결과적으로 성공을 이룰 수 있는 것은 아니기 때문이다. 그렇다고 이두 가지 요소 없이 성공을 이루는 기업은 없다. 따라서 이 두 가지는 성공을 위한 기본적인 조건, 즉 필요조건이라 할 수 있다.

하지만 성공의 충분조건은 준비와 실행 이상의 것을 요구한다. 진출하려는 시장의 특성을 깊이 이해하고, 해당 시장의 요구와 트렌드를 파악하는 것이 중요하다. 베트남 시장에 대한 깊은 이해와 정보는, 그 시장에서 어떤 전략을 세워야 하는지, 어떤 접근법이 필요한지를 알려준다. 이처럼 정보는 기업이 적절한 전략을 세우는 데 꼭 필요한 자산이다. 그러나 실패한 기업들 중 많은 수가 이러한 중요 정보의 가치를 제대로 인식하지 못했다. 이외에도 내부적인 관리 체계나 경영 방식, 인재 관리 전략에서도 부족한 점이 많았다.

이런 미흡한 준비와 실행으로 인해 베트남 시장에서 원하는 성과를 이루지 못하는 것은 예상되는 결과였다. 더 나아가, 이러한 실패는 단순히 해당 시장에서의 손실로 그치지 않고, 기업의 전체적인 미래 발전에도 큰 위협이 될 수 있다.

그러나 모든 기업에는 잘못된 것들을 바로잡을 기회가 있다. 현재의 상황을 정확하게 파악하고, 부족한 부분을 체계적으로 보완한다면 기업이 목표로 하는 베트남 시장 진출은 여전히 가능하다.

중소기업이 베트남 시장 진출의 실패 가능성을 줄일 수 있는 방안은 기업을 개혁하는 것이다. 그럼 일반적인 기업의 개혁 방향과 기업별 상황에 맞는 방법론에 대해서는 알아 보도록 하자.

이렇게 기업을 개혁하라.

기업을 개혁하라는 말은 기업이 지금의 운영 방식이나 경영 철학, 조직 문화 등에 변화를 가져와야 한다는 것을 의미한다. 시장 환경, 경쟁 상황, 기술 변화 등 다양한 외부 요인들은 빠르게 변하고 있기 때문에 기업도 지속적으로 변화와 개혁을 통해 적응해야 한다. 또 기업 개혁은 단기적인 성과 추구보다는 장기적인 성장과 지속 가능성을 위해 필요하다. 변화는 항상 쉽지 않지만, 적극적으로 변화와 개혁을 추구하는 기업이 미래에 더 강한 경쟁력을 갖게 될 것은 분명한 사실이다.

- 베트남 시장에 적합한 아이템을 준비하라

- 베트남에 맞는 구체적인 계획을 수립하라.

- 외부 투자를 유치하라.

- 기업내 인적자원을 활용하라.

- 직원의 자율성을 보장하라.

- 직원과 소통하라.

- 팀장급 직원에게 권한을 위임하라.

1. 베트남 시장에 적합한 아이템을 준비하라.

시장 진출의 첫걸음은 언제나 준비와 연구에서 시작된다. 기업의 성공은 단순히 제품의 품질이나 서비스의 수준에만 의존하는 것이 아니다. 제품이나 서비스가 얼마나 시장에 적합한지와, 타겟 고객의 요구와 기대에 부합하는지가 중요하다. 그러므로 제품 출시 전에 먼저 시장의 수요를 연구하고 분석하는 것은 매우 중요한 작업이다.

베트남과 같은 빠르게 변화하고 있는 시장에서는 특히 지역 특성과 문화를 깊이 이해하는 것이 필수적이다. 기업의 제품이나 서비스가 어느 지역에 적합한지 알아내는 것은 상품의 성공 여부를 좌우한다. 예를 들어 하노이와 호치민이 같은 나라에 속하더라도 그들의 소비 문화나 경제적 환경은 다를 수 있다. 또한, 제품이나 서비스 자체의 특성과 가치를 명확히 정의하고 이를 고객에게 효과적으로 전달하는 방법을 연구하는 것도 중요하다. 제품의 독특한 가치나 특징이 고객의 니즈와 잘 부합한다면 그 제품은 시장에서 큰 성공을 거둘 가능성이 크다.

중소기업의 경우, 자원과 자본이 한정적일 수 있지만, 그만큼의 유연성과 빠른 의사결정 능력이 대기업보다 뛰어나다. 그리고 대기업이라고 전부 베트남 진출에 성공하는 것은 아니니 실망할 필요는 없다.

2. 베트남 시장에 맞는 구체적인 계획을 수립하라.

목표만 세우고 그것을 이루기 위한 구체적인 계획이 없다면, 그 목표는 공중에 떠 있는 풍선과 같다. 목표는 우리의 행동을 안내하는 나침반 역할을 하지만, 그 목표를 달성하기 위한 길을 찾아내는 것은 구체적인 계획이 필요하다. 베트남 시장에 진출하고 싶다는 목표를 가진 기업들이 많지만, 그것을 어떻게 실현시킬지에 대한 구체적인 방안이 없다면 그 목표는 단순한 꿈에 불과하다.

특히 해외시장 진출과 같은 프로젝트에서는 구체적이고 세부적인 계획이 필수적이다. 비록 기업이 구체적인 계획을 수립하더라도 베트남 같은 해외 시장에서의 진출은 수많은 변수와 장애물에 직면하게 된다. 이를 극복하기 위해서는 '육하원칙'에 따라 누가, 언제, 어디서, 왜, 어떻게, 무엇을 등에 대한 질문에 명확한 답을 준비해야 한다.

예를 들면, 특정 제품을 베트남의 어느 지역에 판매하려고 할 때, 해당 지역의 소비자 취향, 문화, 경쟁사 제품과의 차별점 등을 연구하여 제품의 포지셔닝과 마케팅 전략을 세워야 한다. 또한, 현지의 규제와 법률, 유통 채널, 로지스틱 문제 등도 사전에 철저히 조사하고 대비해야 한다.

쉼터24 두 회사의 계획 비교

실패한 기업과 성공한 기업의 계획을 비교해보자. 마스크 팩을 만드는 2개 회사가 있다. 마스크 팩의 디자인이나 가격은 대동소이하다. 두 회사는 베트남 유명 매장에 입점을 원하고 있다.

▶실패한 기업의 제안: "우리 제품은 품질이 어떻고 원료가 어떻고. MOQ는 어떻고, 귀사의 요청이 있다면 샘플 지원은 이렇게 하겠습니다."

▶성공한 기업의 제안: "우리 제품이 경쟁사의 제품에 비해서 특별히 뛰어난 부분은 없다고 볼 수 있습니다. 다른 기업의 제품도 기본적은 원료나 콘셉트는 비슷합니다. 그래서 우리는 마케팅 지원을 우리의 경쟁력으로 삼았습니다. 우리는 귀사에 이렇게 제안합니다."

첫째, 1만 달러 구매를 하시면 1만 달러만큼 마케팅을 지원하겠습니다.

둘째, 10만 달러면 5만 달러를 첫해 1년간 지원하겠습니다.

셋째, 2년 차는 베트남 모 모델을 사용해서 브랜드 가치를 올릴 생각입니다.

넷째, 3년 차는 귀사와 협력하여 새로운 마케팅 계획을 세웠으면 합니다.

3. 외부 투자를 유치하라.

투자[8]를 유치하는 것은 기업의 성장과 발전에 필수적인 과정이다. 지금 우리가 알고 있는 유명한 기업들은 대기업이 되기 위한 길목에서, 그들은 다양한 주주들로부터 자금을 유치하며, 이 과정에서 주주들의 견제와 협조를 동시에 받아들였다. 반면, 중소기업은 자금의 대부분을 창업자나 가족, 혹은 은행 융자를 통해 마련하기 때문에 외부의 견제나 협조를 별로 받지 않는다. 그러나, 이런 외부의 견제는 기업의 건강한 성장을 위한 필수 과정이라 할 수 있다.

외부 투자자로부터의 견제는 기업의 객관적인 평가를 받을 수 있는 기회를 제공하며, 그로 인해 기업은 자신들의 약점을 찾아 개선할 수 있다. 따라서 외부 투자를 통해 받는 견제는 결국 기업의 성장을 위한 좋은 기회가 될 수 있다.

더욱이, 투자를 유치하는 것은 단순히 자금을 확보하는 것 이상의 의미를 갖는다. 투자자들은 그들이 투자하는 기업에 대한 믿음과 기대를 가지고 있기 때문에, 그들의 견제와 지지는 기업에게 큰 힘이 될 수 있다. 이를 통해 기업은 더욱 빠르고 안정적으로 성장할 수 있다.

---

8 엔젤투자부터 추가 투자까지 다양한 방법으로 투자 유치가 가능하다. 투자관련 기관들로는 한국엔젤투자협회, 초기투자기관협회, 한국벤처캐피탈협회, TIPS, 여신금융협회 등이 있으니 참고하기 바란다.

그러므로, 중소기업 대표들은 외부 투자를 꺼리지 말고, 오히려 그것을 통한 기회와 가능성을 발견해야 한다. 기업의 현재 상태만이 아닌 미래의 가능성을 투자자들에게 잘 보여줄 수 있는 기업은 결국 투자를 유치할 수 있을 것이다. 결국, 투자를 통한 외부의 견제와 협조는 기업의 성장을 위한 큰 도움이 될 것이다.

4. 기업내 인적자원을 활용하라.

중소기업이 특히 어려운 환경에서 성장하기 위해서는 모든 가능한 자원을 최대한 활용해야 한다. 그 중에서도 가장 중요하며 무한한 잠재력을 가진 자원은 바로 인적 자원이다. 그런데 여전히 많은 중소기업들이 이를 간과하거나 잘못 활용하고 있는 상황이 많다.

중소기업이 직원 교육에 투자하는 것은 단순히 기술이나 지식을 전달하는 행위를 넘어서, 기업 문화를 형성하고, 직원의 업무 효율성을 향상시키며, 기업의 미래를 준비하는 활동이다. 특히 마인드 교육은 직원들의 사고방식과 태도를 형성하고, 그들이 기업의 일원으로서의 책임감과 소속감을 갖게 만들어 준다.

하지만 불행하게도, 중소기업의 많은 대표들은 교육에 대한 투자를 "비용"으로만 보기 때문에 그 중요성을 제대로 인식하지 못하고 있다. 그러나 실제로는 교육 투자는 중소기업의 경쟁력을 향상시키는 "투자"다. 직원들의 능력과 전문성을 키워주는 것은 그들의 업무 효율성을 높여주며, 그 결과로 기업의 생산성과 수익성을 향상시킨다.

결론적으로, 중소기업 대표들은 직원 교육의 중요성을 재인식하고, 그에 따른 투자와 노력을 아끼지 않아야 한다. 그리고 이러한 교육의 핵심은 기업의 목표와 비전을 제대로 전달하고, 그를 향해 함께 나아갈 수 있는 동료들을 만드는 것이다.

5. 직원의 자율성을 보장하라

베트남 시장 진출을 추진하는 기업들은 자체적인 내부 역량 강화의 중요성을 깨달아야 한다. 이러한 역량 강화는 직원들이 베트남 시장에 관한 깊은 이해와 정보 취득, 그리고 그 지역의 문화와 경쟁 구도, 그리고 다양한 현지 특성에 대한 인식을 통해 이루어진다. 그러한 지식과 이해를 바탕으로 직원들은 스스로 목표를 설정하고 이를 달성하기 위한 동기를 발견하게 된다.

이때 중요한 것은 대표의 리더십이다. 대표는 해외 영업 담당자와 다른 직원들에게 충분한 자율성을 부여해야 한다. 이 자율성은 단순히 업무의 자유를 의미하는 것이 아니라, 스스로 문제를 해결하고 결정을 내릴 수 있는 권한을 의미한다. 이를 통해 직원들은 더욱 적극적이고 창의적으로 업무에 임할 수 있게 된다.

또한, 대표가 모든 결정을 독단적으로 내리려고 하는 것은 바람직하지 않다. 대신에, 실무자나 해당 영역의 전문가와 협의하며 공동의 의사 결정을 추구해야 한다. 대표가 해외 영업이나 외국어에 능통할 수 있지만 그것이 결정의 중심에 있어서는 안 된다. 핵심은 대표가 직원들의 의견을 듣고 그것을 바탕으로 결정을 내리는 것이다.

반면, 실패한 기업들의 경우 대표가 중앙집중적으로 모든 것을 결정하려 하고, 직원은 그냥 도구의 역할만 요구한다. 이러한 접근 방식은 직원들의 창의성과 적극성을 억제하게 되며, 그 결과로 기업의 성장과 발전을 방해하게 된다. 따라서 성공을 원한다면 직원의 자율성을 최대한 보장하는 것이 바람직 하다.

6. 직원과 소통하라

사람은 감정의 동물이다. 그래서 마음이 움직이면 최상의 결과를 내기도 한다. 그러나 상호간에 소통이 없으면 사람의 마음은 움직이지 않는다. 일방통행적인 지시만 내리는 대표와 그 지시를 수행하는 직원들 사이에는 진정한 소통이 없는 것이다.

이러한 지휘체계는 조직의 에너지를 분산시키며, 직원들의 참여와 애착을 줄인다.

기업내의 회의가 진정한 소통을 위한 것인지, 아니면 단순한 통보를 위한 것인지를 구분하는 것은 매우 중요하다. "우리는 충분한 회의를 통해 소통하고 있다"고 느끼는 대표에게도 짚고 넘어가야 할 지점이 있다. 일방적인 안내를 위한 회의, 즉 '통보' 형식의 회의가 아닌가 돌아보아야 한다. 이런 회의에서 직원들의 의견을 듣기는 하지만, 그것이 단순한 예절에 불과한 경우가 많다. 직원들이 그런 분위기에서 자유롭게 의견을 표현하기는 어렵다. 이런 회의는 오히려 직원들의 동기를 저하시킬 수 있다.

대표로서 직원들의 의견과 피드백에 귀를 기울여야 한다. 사내 프로젝트의 장단점, 그리고 기타 문제점들도 직원들의 입장에서 들어보는 것이 중요하다. 만약 그러한 문화나 환경이 부족하다면, 대표 스스로 그런 분위기를 조성해야 한다. 직원들과의 소통은 추가 비용 없이도 조직의 생산성과 창의성을 높일 수 있는 강력한 도구이다. 성공을 원한다면 직원들과 소통하는 것이 기업에게 유익하다.

7. 팀장급 직원에게 권한을 위임하라.

현대의 경영 방식에는 다양한 경영 철학과 접근 방법이 있다. 하지만 공통적으로 강조되는 부분은 '직원들의 역할과 책임을 중시하는 것'이다. 대표 혼자서 모든 결정을 내리고 모든 업무를 관리하는 시대는 지나갔다. 이제는 각 직원들이 전문가로서 업무를 수행하고, 팀을 이끌며 함께 성장하는 조직문화가 중요하게 여겨진다.

필자가 만난 안양의 모 기업 대표는 이를 이미 잘 알고 있었다. 그는 모든 결정을 혼자 내리는 대신, 실무 전문가들의 의견을 듣고 그들에게 권한을 위임함으로써 회사의 결정 과정에 다양한 시각과 전문성을 더해주었다. 이렇게 함으로써 그 대표는 회사의 전체적인 방향성에 집중할 수 있었고 각 팀장 및 담당자는 자신의 역할에 더욱 집중하게 했다.

이처럼 이러한 권한의 위임은 직원들에게 더 큰 책임감과 동기부여를 제공한다. 자신의 업무에 대한 권한이 있으면 그 업무에 대한 주인의식이 생기게 되며, 이는 업무의 효율성과 성과에도 긍정적인 영향을 미친다.

또한, 베트남과 같이 해외시장 진출을 계획하는 기업의 경우, 정보의 중요성은 더욱 강조된다. 신뢰할 수 있는 정보를 획득하고, 그 정보를 기반으로 한 결정을 내리는 것은 국내 시장과는 다르게 복잡한 문화, 법규, 경쟁 환경 등을 고려해야 하기 때문이다. 이때, 실무 전문가들의 의견과 정보가 큰 도움이 된다.

결론적으로, 직원들에게 권한을 위임하고 그들의 의견을 존중하며 함께 성장하는 기업 문화는 현대 경영환경에서 더욱 중요하다. 기업의 성장과 발전을 위해서는 대표 혼자의 능력보다는 모든 직원들의 역량과 협력이 필요하다.

쉼터26 독일군의 임무형 지휘체계

프러시아는 1806년 나폴레옹이 이끄는 프랑스군에게 크게 패하자, 군사 제도의 대 개혁을 도모하였다. 그들은 패배의 원인을 사고의 경직성과 지휘관들의 피동적인 지휘에서 기인하였다고 판단하였다. 이러한 문제의식을 바탕으로 독일군이 새롭게 정립한 원칙이 바로 '임무형 지휘체계'이다. 많은 군사 전문가들은 2차 대전 당시에 독일군이 전력의 열세에도 불구하고 전투 역량이 높았던 이유가 바로 하급 지휘관의 능동적 판단과 재량을 통해 실행력을 극대화하는 '임무형 지휘 체계'의 활용에 있었다고 말한다. 임무형 지휘체계는 명확한 목표 및 의도는 제시하되, 세부적인 명령은 지양하고 임무 수행 방법은 실행하는 사람에게 위임하는 것이다. 즉, 명령은 심플하고 명확하게 내리고, 전체 목표와 틀을 벗어나지 않는 범위 내에서 달성 방안은 스스로 고민하여 실행할 수 있는 재량권을 허용하는 체계인 것이다. 이런 지휘 체계로 인한 독일군이 거둔 효과는 2차 대전 당시 서부 전선 연합군 상대로 1.2배, 소련군 상대로 2배의 작전 효율을 보였다.

쉼터27 전술의 명령 방식

▸명령형 전술: 군단장 강감찬은 20일 02시에 A3지역으로 이동하고, 22일 04시에 다시 A4지역으로 이동한 후, 서희 부대가 적과 교전해서 승리하면 A1 지역으로 이동하여 강동성을 공략하고 패배하면 A5지역으로 이동해서 윤관 부대와 합세하여 25일 05시에 A5지역으로 이동하여 대기할 것

▸임무형 전술: 군단장 강감찬은 서희 및 윤관 부대와 협력하여 26일까지 강동성을 공략할 것. 세부 계획은 군단장 강감찬의 재량에 맡김.

쉼터28 **장사와 사업의 차이**

장사는 좋은 물건을 싸게 사서 비싸게 팔면 된다. 좋은 물건을 찾아내고 가장 저렴한 가격에 구입한 후 가장 비싸게 파는 것이다. 반드시 남아야 하는 것이 장사이다. 반면, 사업은 무엇인가? 이익을 추구하는 점은 장사와 비슷하지만 사업을 하다 보면 이익보다는 신뢰가 더 중요할 때가 있다. 그래서 단기적인 이익을 버리고 장기 이익을 추구한다. 사업은 누구가 하는 것이 아닌 우리만 특별히 할 수 있는 것을 가지고 있는 것이다. 사업은 당장 손해를 감안하더라도 장기적인 수입 발생이 가능하다고 판단되면 투자를 하는 것이다. 진정한 사업가가 되고 싶다면 이런 차이를 마음에 품고 기업을 경영할 필요가 있다.

장사	사업
모든 직원보다 사장이 다 잘함	어떤 일은 직원이 사장보다 더 잘함
인건비를 줄이는 것이 수입을 늘리는 길	아이디어로 고용을 늘려 수입을 올림
경쟁자는 근처에 있음	경쟁자는 어디에나 있음
당장의 이익이 중요함	당장은 손해를 볼 수 있지만 미래에 투자함

기업 유형별 상황에 맞게 진출을 준비하라.

베트남 진출을 준비중인 기업들은 각자 처한 상황이 다르다. 따라서 기업의 상황에 맞는 실패 가능성을 줄일 수 있는 방법들이 필요하다. 이해의 편의를 위해서 베트남 수출 경험 여부와 시장 진출 정도에 따라 다섯 가지 기업유형으로 구분하였다.

- 스타트 업이 해야할 일

- 내수 기업이 해야할 일

- 수출 초보 기업이 해야할 일

- 수출 유망 기업이 해야할 일

- 베트남 직접 투자 기업이 해야할 일

1. 스타트 업이 해야할 일

스타트 업이 베트남 시장에 맞는 제품이나 서비스를 준비하고 있다면 실패 가능성은 낮아진다. 시장에 적합한 제품이나 서비스는 그렇지 않은 제품에 비해서 경쟁력이 높을 수밖에 없기 때문이다. 그러나 먼저 타겟 시장을 결정한 후에 그 시장에 맞는 제품과 서비스를 준비하는 스타트 업은 많지 않다. 스타트

업은 성공할 가능성이 있는 아이템은 있지만 지금은 초창기 기업이기 때문에 수익이 없는 상황이 대부분이다. 그래서 그들에게 외부 투자는 필수이며 투자자의 관심을 받기 위해서 자사 아이템의 우수성을 투자자에게 우선 어필해야 한다. 다시 말하면, 그들에게 현재 가장 중요한 일은 투자를 받는 것이다. 그러다 보니 목표 시장을 먼저 선정하고 아이템을 개발하는 것이 아니라 투자를 받을 만한 아이템을 개발을 하고 나서 목표 시장을 결정하게 된다. 대부분의 스타트 업은 이러한 형편이기 때문에 사업의 실패 가능성은 높아질 수 밖에 없다. 그럼 이런 상황에서 스타트 업은 어떻게 해야 할까? 정답은 아니지만 최소한 어떤 시장에 진출할 것인지를 결정하고 사업을 준비하는 것이다. 경제발전 수준에 따라서 구분한다면 선진국, 중진국, 후진국 시장이 있다. 문화로 시장을 구분한다면 동양과 서양 문화가 있다. 지역으로 본다면 북미, 남미, 동남아, 서남아, 중동 등이 있다. 예를 들면 우리 기업은 "문화는 동양, 지역은 동남아, 경제는 후진국 시장"에 진출하기로 정하는 것이다. 그래도 가장 좋은 방법은 먼저 특정 시장을 선택하고 아이템 개발하는 것이다.

2. 내수 기업이 해야할 일

내수 기업들은 국내 경쟁이 점점 심화되면서 새로운 판로 개척의 필요성을 느끼게 된다. 그 중에서도 베트남과 같은 신흥 시장은 높은 성장 가능성과 잠재력 때문에 많은 기업들의 주목을 받고 있다. 그러나 해외 진출에 필요한 지식과 경험이 부족한 기업이 대부분이다.

해외 시장 진출은 그 자체로 큰 도전이다. 다른 문화, 언어, 규제, 시장의 특성 등 많은 변수가 작용하기 때문이다. 이런 상황에서 기업이 무작정 해외로 나가려 한다면 실패의 위험이 크다. 전시회나 수출상담회는 좋은 시작점이 될 수 있으나, 지속적인 판로 확대와 관계 구축에는 한계가 있다.

진정한 해외 판로 개척을 원한다면, 기업은 해외영업에 전문적인 인력을 투자하는 것을 고려해야 한다. 이런 전문 인력은 시장 조사, 바이어 관계 구축, 계약 체결 등의 과정에서 필요한 전문 지식과 노하우를 가지고 있다. 또한, 지속적인 관계 유지와 후속 업무도 효과적으로 수행할 수 있다.

무엇보다, 해외영업은 단순히 제품이나 서비스를 팔아 넘기는 것이 아니라, 그 나라의 문화와 시장에 맞는 전략을 세우고 실행하는 일이다. 그래서 전문성과 경험이 필요한 것이다.

결론적으로, 기업들이 해외 시장에서 지속적인 성공을 위해서는 전략적인 접근과 인력 투자가 필요하다. 단기적인 성공보다는 장기적인 시각에서의 계획과 실행이 중요하다.

쉼터29 기업이 수출에 실패한 이유

▸ 베트남 시장에 맞는 제품이 아니라 기업이 원하는 제품을 수출하려고 하기 때문이다.

▸ 소비자의 구매력을 무시하고 기존에 만들어진 제품을 판매하려고 하기 때문이다.

▸ 제품은 홍보가 필수인데 제품만 팔려고 하기 때문이다.

▸ 수출이 안되는 이유가 자사 때문이 아니라 바이어의 적극성과 능력부족으로 생각하기 때문이다.

---

3. 수출 초보 기업이 해야할 일

수출 초보 기업, 특히 제품이 원료나 중간재인 경우, 초기에는 운 좋게 수출 거래를 성사시킬 수 있다. 하지만 그것만으로는 지속적인 수출 성공을 보장하기 어렵다. 실제로, 수출 성공의 비결은 단순히 제품의 품질이나 가격 경쟁력만이 아니다.

수출은 양사간의 관계 구축이 필요하다. 단기적인 수익 추구보다는 중장기적인 관점에서의 상호 신뢰와 협력이 필요하다. 바이어와의 관계에서 '우리는 수출만 원한다'는 태도는, 기업이 상호 협력의 중요성을 무시하는 것과 같다. 시장은 항상 변화하는 곳이며, 그 변화에 따라 양사 모두 어려움을 겪을 수 있다. 이때 서로 협력하고 지원하는 자세가 필요하다. 이런 상호 협력은 신뢰와 파트너십을 구축하는 기반을 마련한다.

예를 들어, 기업이 바이어의 요청에 따라 제품 개선이나 현지에서의 홍보 활동을 지원한다면, 바이어는 이러한 지원을 긍정적으로 평가할 것이다. 그 결과, 어려움이 생겼을 때 양사는 서로 지원하고 협력할 수 있다. 또한, 바이어와의 신뢰 관계가 잘 구축되면, 기업은 바이어와 더욱 타이트한 협력을 추구할 수 있다. 예를 들면, 바이어와의 합작투자나 지분 투자 등을 통해 시장에 더 깊게 뿌리내리는 전략을 세울 수 있다.

결론적으로, 수출 초보 기업이 베트남 시장에서 지속적으로 성공하기 위해서는 바이어와의 상생과 협력을 추구하는 마인드가 필요하다. 바이어를 단순한 거래 상대가 아닌, 중요한 사업 파트너로 인식하고 그에 따른 전략과 행동을 취하는 것이 중요하다.

쉼터30 바이어가 돈을 벌어 배가 아플 때

자사의 마진은 적은데 바이어는 사업을 잘해서 돈은 잘 벌 때가 있다. 이런 경우 대표님들은 배가 아프다. '재주는 곰이 부리고 돈은 왕서방이 번다.'라는 생각이 드는 것이다. 그러나 배가 아프신 대표님들은 생각의 전환이 필요하다. 바이어는 왕서방이 아니라 우리 제품을 홍보해주는 고마운 '홍보대사'로 생각을 바꾸는 것이다. 이러한 생각의 전환이 일어난 어떤 대표는 '그럼 이런 홍보대사를 어떻게 활용하는 것이 우리에게 유리할까? 바이어가 나 대신 고객들에게 좋은 제품이라면서 최선을 다해서 홍보하게 만들려면 어떻게 하는 것이 좋을까?' 이런 생각을 가질 수 있을 것이다. 즉, 바이어의 성공이 곧 우리의 성공이다.

4. 수출 유망 기업이 해야할 일

수출 유망 기업은 수출 초보 기업에서 성장하여 상당기간 동안 수출을 하고 있는 기업이다. 이 기업은 수출을 더 늘리고 싶지만 현재 바이어의 오더로는 목표를 달성하기 어렵다. 그렇다고 무턱대고 다른 바이어를 찾아 수출한다면 예상치 못한 역효과가 발생할 가능성도 있다. 예를 들면, 바이어들간의 분쟁, 다른 판매 가격, 잘못된 홍보로 인한 브랜드 이미지 손상 등이다. 이런 상황에서 수출을 확대하기 위해서는 새로운 방안들이 필요하다. 그 방안들 중에서 필자는 장단점이 골고루 있는 3가지 방안들은 우리 기업들과 공유하겠다.

1) 기존 바이어와 협력을 강화하기

기존 바이어와 신뢰는 지키면서 어떻게 자사의 수출을 확대할 수 있을까? 그것은 총 수출액은 고정하되 공급가를 낮추고 수출량을 늘리는 것이다. [수출액: 100원= 20원*5개와 수출액: 100원=10원*10개] 수출액은 동일해서 차이가 없지만 시장에서는 그 효과는 달라진다. 공급가를 낮추면 기업의 이익은 줄어들게 되지만 판매가격도 낮아져 가격 경쟁력이 상승하게 된다. 그렇게 되면 더 많은 고객들이 저렴한 가격으로 무장한 우리 제품을 구매할 가능성이 높아진다. 이런 고객의 증가는 주변 사람들에게 우리 제품에 대한 간접 홍보의 효과가 있다. 이 방법은 큰 수익 창출은 바로 발생하지 않지만 장기간 지속된다면 브랜드 인지도 향상으로 이어져 기업의 무형자산의 가치를 키울 수 있다. 특히 베트남 소비자들은 제품구매 시 지인들의 의견을 많이 참조하기 때문에 이런 홍보 방법은 매우 효과적이다. 우리 대표님들이 자주 주장하는 '우리 제품이 대기업 제품에 비해서 부족한 것은 브랜드에 대한 인지도이지 품질이 아니다'라는 것을 실제로 입증해야 한다. '우리는 제품을 파는 것이 아니라 브랜드를 판다'라고 말하는 모 글로벌 기업 CEO의 말은 우리들은 곰곰이 생각해 볼 필요가 있다.

2) 현지에 직접 진출하기

외투 법인의 설립으로 직접 베트남에 진출하는 것은 초기 투자 비용이 많이 들지만, 중장기적으로 볼 때 다양한 이점이 있다. 기업이 직접 시장에 참여함으로써 그 시장의 특성, 소비자의 선호와 트렌드를 실시간으로 파악할 수 있기 때문이다. 이러한 직접적인 경험은 더욱 효과적인 마케팅 전략을 세울 수 있게 해준다. 또한 바이어를 거치지 않고 직접 현지에 진출하게 되면, 중간 마진을 줄일 수 있어 제품의 가격 경쟁력을 높일 수 있다. 이는 기업의 이익률 향상뿐만 아니라, 고객에게도 합리적인 가격으로 제품을 제공할 수 있게 해준다.

하지만 이러한 이점에도 불구하고 직접 해외에 진출하는 것에는 여러 어려움이 따른다. 현지의 문화와 관습, 법규, 시장 동향 등을 숙지하고 이를 기업의 운영 전략에 반영해야 한다. 특히 언어와 문화의 장벽은 쉽게 극복하기 어려운데, 이를 위해 현지 인력을 고용하거나 협력 업체와의 파트너십을 구축하는 등 다양한 방법을 고려해야 한다.

결론적으로, 외투 법인을 통한 직접적인 시장 진출은 기업에게 큰 기회와 도전이 될 수 있다. 초기 투자 비용과 적응 기간이 필요하긴 하지만, 장기적인 관점에서 시장을 깊게 파악하고 지속적으로 성장할 수 있는 기반을 구축할 수 있다면, 이는 확실히 고려해 볼 가치가 있는 전략이다.

3) 로컬 생산을 준비하기.

2000년대 초반부터 베트남은 중국을 대체하는 주요 생산 기지로 주목받았다. 초기에는 생산 기지의 역할을 한 베트남이지만, 2023년 현재, 이제는 높은 소비자 잠재력을 지닌 시장으로 인식되고 있다. 이러한 변화는 지속적인 경제 성장으로 소비자의 가처분 소득이 늘어나면서 베트남의 내수 경기가 활기를 띠기 때문이다. 외투 기업들은 제조업 분야뿐만 아니라 문화, 예술, 교육, 유통 분야 등 비 제조업 분야로의 투자를 확대하기 시작했고, 로컬 기업들도 이에 힘입어 같은 분야로의 투자를 확대하고 있다. 이러한 동향은 대한민국이 1980~1990년대에 선진국 제품에 대한 높은 선호도를 보였던 상황과 유사한 양상을 보여준다.

그러나 베트남의 소비자들도 향후에는 자국산 제품에 대한 평가를 재조명할 것으로 예상된다. 따라서 지금이 중소기업에게는 기회의 순간이다. 이미 베트남 시장에서 제품을 수출하고 있다면, 우리 제품이 경쟁력을 지니고 있는 것이다. 더 많은 수출을 고려한다면 현지 생산 또한 고려할 가치가 있다. 현지 생산은 가격 경쟁력을 높이고 통관 및 관세 문제를 줄여주며, 아세안 회원국들에게 우리 제품을 수출하기도 편리하게 만들어준다. 또한 베트남에서 국내로 역수출하는 것도 가능해진다. 만약 우리 기업이 베트남에서 현지 생산을 시작했다면, 이제는 자사 브랜드에 집중해야 한다. 기업의 가치는 결국 브랜드에 반영되기 때문이다. 혹시 우리 기업의 자금사정이 충분하지 못하다면 현지에서 OEM생산을 하는 방법도 있을 것이다. 어쨌든 장기적으로 베트남에서 성공하려면 로컬 생산은 선택이 아니라 필수다.

5. 베트남 직접 투자 기업이 해야할 일

기업이 성공적으로 현지에 정착하기 위해서는 다양한 어려움을 극복해야 한다. 투자 허가부터 기업 운영을 위한 현지 조직 구성을 완료하기까지, 쉽지 않은 여정들이 기업을 기다리고 있다. 그럼에도 불구하고 기업들이 베트남에 직접 투자 시 발생 가능한 문제들과 다른 기업들의 실패 사례들을 참고하여 미리 준비한다면, 빠르고 안전하게 현지에 정착할 수 있을 것이다.

그럼 우리 기업들이 자주 만나는 장애물들을 유형별로 알아보
도록 하자.

1) 일반 법인 설립 시 이점을 유의해야 한다.

현지 법인 설립은 모기업에서 현지에 자본금을 투자하여 설립
하는 절차를 거친다. 베트남에서 제조업은 투자허가 단계에서
부터 비(非)제조업에 비해서 상대적으로 쉽게 설립이 가능하
다. 반면에 유통 및 서비스 업 분야 등 비제조업은 제조업과 비
해 법인 설립부터 불이익을 받는다. 일반적인 불이익은 투자
허가를 거절당하거나 허가 조건이 까다로운 경우가 많으며 투
자가 안되는 경우 등이 있다. 그래서 이런 상황에 기업이 마주
치게 되면 해결 방법을 찾게 되는데 이 때에 예상치 못한 문제
가 발생할 가능성이 있다.

대표사무소 설립은 재고해야 한다.

과거에는 베트남에서의 초기 진출 형태로 대표사무소[9]가 많이
사용되었다. 이러한 선택을 하는 이유는 설립 비용이 법인에
비해 저렴하고 허가 기간이 짧았기 때문이다. 그러나 현재 상

---

[9] 대표 사무소는 법인 형태의 설립은 아니나 편의상 여기서 설명하였다.

황에서 대표사무소 설립은 대부분의 기업에게 큰 실익이 없다. 설립 비용이 법인과 큰 차이가 없으며 허가 기간도 비슷하다. 또한 대표사무소 형태에서는 수익을 위한 활동이 제한되며, 청산 절차가 복잡하다. 따라서 현재로서는 베트남에서 진출할 때 법인 형태를 선택하는 것이 좋다. 법인 형태에서는 더 많은 옵션과 기업 운영의 유연성을 확보할 수 있으며, 장기적인 성장과 안정성을 추구하는 데에 더 적합한 선택이다.

현지인 명의 법인의 리스크를 유의해야 한다.

베트남에 경험이 있는 일부 기업들은 현지인 명의 법인을 선호한다. 이 방법의 장점은 설립 비용이 거의 들지 않으며, 진출 시간도 약 일주일 정도로 매우 빠르다는 점이다. 그러나 이 방법에는 몇 가지 문제점이 있다. 먼저, 이익금을 본사로 정상적으로 송금할 방법이 없다. 또한 사업이 확장될 경우 명의자와의 분쟁 위험이 있다. 추가로, 파견 직원의 비자 문제도 원활히 해결되지 않을 수 있다. 따라서 이 방법은 장기적인 사업 운영에는 적합하지 않다. 그렇지만, 제품의 시장 테스트를 위해 짧은 기간 활용한다면 유용한 진출 방식이 될 수 있다.

쉼터31 기만의 유형

▶ 유통 법인을 설립 대신에 수출입만 가능한 외투 법인을 설립하는 경우

▶ 고의로 법인 설립 허가를 지연하면서 추가 비용을 요구하는 경우

▶ 기업의 업종이 특이해서 투자 허가를 받기 어렵지만 자신들은 가능하다고 말하고 비용을 받은 후에 끝내 허가가 나오지 않았지만 책임을 회피하는 경우

▶ 제조가 목적인 기업에게 고의로 유통 법인을 설립하게 한 후 제조업으로 변경을 원하는 기업에게 추가비용을 요구하는 경우

▶ 고의로 하자가 있는 공단과 계약을 주선하고 향후 문제 발생하게 되면 문제 해결을 명목으로 기업에게 비용을 추가로 청구하는 경우

2) 합작 법인의 설립은 신중해야 한다.

베트남에 진출한 외국 투자 기업들 중 다수는 1인 유한책임회사 형태로 설립되었다. 그렇지만 일부 업종에서는 외국 투자 기업이 단독으로 100% 투자를 하는 것을 제한하거나 사실상

제한하고 있어 합작 형태로 투자를 해야만 한다. 이러한 업종에는 교육, 의료, 물류 등이 포함된다.

중소기업 중에서는 베트남 현지 기업과의 합작 형태로 투자하는 사례는 그리 흔하지 않다. 그렇지만, 합작을 고려하는 기업들은 합작 파트너 선택과 계약 내용에 매우 신중해야 한다. 이는 과거에 베트남 현지 기업과의 합작 결과가 긍정적이지 않았던 사례들 때문이다.

국영기업이 합작을 제안하는 경우

베트남 시장은 정보가 불투명하고 복잡한 투자 절차를 가지고 있지만, 이로 인해 다른 시장에 비해 경쟁사가 상대적으로 적어 투자의 기회로 보는 기업들이 많다. 그러나 베트남에서의 투자와 협업에 대한 선입견이 투자 실패로 이어질 수 있다. 많은 기업들이 정보를 얻기 어려운 베트남 현지에서 어떤 기업이 신뢰할 만한지 판별하기 어렵다고 느껴, 국영기업과의 협력이 더 안전하다는 선입견을 가지고 있다. 하지만, 이런 생각은 투자 실패를 초래할 수 있다. 얘를 들면, 베트남 국영기업 중 일부는 자사의 낮은 ICT 기술 수준을 보완하기 위해 외국 ICT 기업과의 협력을 원하고 있다. 그러나 이들 국영기업과의 협력은 항상 긍정적인 결과만을 가져오는 것이 아니다. 베트남 국영기업이 합작투자를 제안할 때, 그 목적이 양사의 공동 이익을 위한 것인지, 아니면 단순히 외국 기업의 기술을 얻기 위한 것인지 신중히 판단해야 한다. 실제로 일부 기업은 외국 파트너의 기술을 확보한 후 고의적으로 분쟁을 유발하거나 계약서에 명시된 보호 조항을 지키지 않는 경우도 있다.

결과적으로 베트남에서의 투자와 협업을 계획하는 기업들은 현지의 시장과 문화를 깊이 이해하고, 신뢰할 수 있는 현지 파트너와의 관계를 구축하는 데 주력해야 한다.

합작 비율이 5 대 5 일 경우

한국에서는 주식회사의 경영권 확보를 위해서는 50%+1주의 주식을 소유하면 되지만, 베트남에서는 상황이 달라진다. 일부 한국 기업들은 베트남에서의 주식 비율도 한국과 비슷할 것이라는 잘못된 선입견을 가지고 있어, 파트너사의 제안하는 70:30 혹은 60:40의 지분 비율을 수용하기도 한다.

그러나 베트남에서는 기업의 정상적인 운영을 위해서는 최소한 65% 이상의 지분을 소유해야 하며, 중요한 사업 결정, 예를 들면 주요 자산의 매각이나 회사의 청산 등은 75% 이상의 지분을 가진 주주들의 승인을 받아야 한다.

이러한 지역 특성을 모르고 합작투자를 진행한다면, 파트너사에 의해 원하지 않는 결정이 내려질 위험이 있으며, 그로 인해 기업 운영에 큰 어려움을 겪을 수 있다. 따라서, 베트남에서의 투자를 계획할 때는 현지의 특성과 법률을 꼼꼼히 파악하고 투자 결정을 내려야 한다.

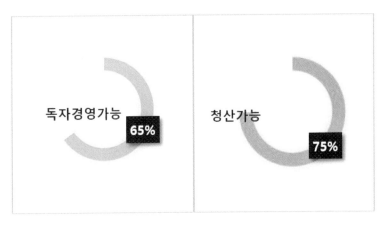

표4: 경영관련 주요 비율

노하우 탈취를 위해서 제안하는 합작도 있다.

과거 베트남에는 편의점이 없었던 시대가 있었다. 그러나 시장이 개방되면서, 인구가 많고 경제가 성장하는 이 땅에 외국계 유통 기업들은 큰 기회를 보았다. 그렇지만, 외투 기업이 베트남에서 독립적으로 유통업에 진출하는 데에는 여러 장애물들이 있었고 이를 해결하기 위해 베트남 현지 기업과의 합작을 고려하게 되었다. 베트남 기업 중에는 편의점 사업의 노하우는 없었지만 그 사업의 잠재력을 인식한 기업들이 있었다. 이러한 기업들은 외투 기업들과의 합작을 열렬히 환영했다. 그러나 그들의 진정한 목적은 단순히 양사의 공동 성공을 위한 것이 아니라, 외투 기업들이 가진 편의점 운영 노하우를 흡수하는 데에 있었다.

편의점 운영의 노하우는 세세한 부분에 숨어 있으며, 그 중 하나로 계산대 옆에 작은 물건들을 배치하는 것이 있다. 이 외에도 고객 동선, 진열대 높이, 간격, 조명 등의 다양한 노하우가 편의점 운영에는 필요하다. 이렇게 얻은 노하우를 바탕으로 베트남 기업 중 일부는 외투 기업과의 합작을 종료하고, 자신들만의 편의점 브랜드를 시작했다.

이처럼 합작 투자는 큰 기회를 제공할 수 있지만, 또한 위험도 동반한다. 따라서 합작투자를 계획할 때는 법적인 보호 조치와 노하우 유출 방지 전략을 철저히 세워야 한다.

3) 현지 조직 운영에 관심을 가져야 한다.

베트남으로의 진출을 고려하는 기업들 대부분은 자신들의 제품이 현지에서 성공할 수 있는지 여부에 주목하고 있다. 그러나, 제품만큼 중요한 것은 그 제품을 판매하고 전파하는 조직의 운영 방식이다. 필자는 제품의 경쟁력이 중요하긴 하지만, 궁극적으로는 조직의 운영 방식과 조화가 성공의 핵심 요소라고 생각한다.

베트남에서 사업을 운영하려면, 현지의 다양한 문화적 특성, 언어적 장벽, 다른 법률 체계, 그리고 그 지역만의 시장 특성을 이해하고 적응해야 한다. 특히, 현지에서 적합한 인재를 채용하고 유지하는 것은 우리 기업이 생각하는 것 보다 훨씬 어렵다. 대기업들은 그들의 브랜드 인지도와 높은 급여 조건으로 훌륭한 인재를 쉽게 얻을 수 있지만, 중소기업들은 그런 이점이 없어 인재 채용이 쉽지 않다.

물론, 몇몇 중소기업들은 베트남에서 아직 잘 알려지지 않은 분야에서 경쟁 우위를 가질 수 있다. 예를 들면, IT나 광고, 연예와 같은 분야에서는 특별한 기술이나 지식을 요하는 인재를 더 쉽게 찾을 수 있다. 그러나 이들은 소수일 뿐이다.

대부분의 많은 중소기업들은 현지의 인사 문제와 조직 문화 적응 등에서 어려움을 겪는다. 이러한 문제를 극복하기 위해, 기업들은 베트남의 문화와 조직 문화를 잘 통합하고, 직원들의 복리 후생과 개발 프로그램에 투자해야 한다. 그러나 해결 방법은 알지만 현지 조직운영의 문제를 해결하는 것을 방해하는 장애물들이 있다.

편향된 언론보도가 장애물이다.

베트남의 노동력에 대하여 한국 언론에서는 저렴한 노동비, 뛰어난 손기술, 유교 문화, 젊은 인구층, 그리고 영어 실력 등을 강조하곤 한다. 그러나 이것이 베트남 직원들의 전체 특성을 반영하는 것은 아니다. 실제로는 베트남의 직원들은 그들만의 문화와 가치관을 가지고 있다. 그 중 몇몇 특징은 한국 기업들에게 도전이 될 수 있다. 예를 들면:

개인 중심: 베트남 직원 중 일부는 회사의 이익보다 자신의 이익을 중시하는 경향이 있다. 때문에 별도의 부업을 가지고 있을 가능성도 있다.

집단주의: 베트남 직원들은 강한 집단 의식을 가지고 있으며, 해당 집단에서 소외되는 경우 회사를 떠나게 되는 경우도 있다.

파벌 현상: 큰 기업에서는 내부에 파벌이 형성되기 쉽고, 그로 인해 직원들 간의 갈등이 발생하기도 한다. 이는 권력 투쟁과 관련하여 서로의 잘못을 상사에게 제보하는 현상을 초래할 수 있다.

회피적 태도: 문제나 오류가 발생했을 때, 이를 직접 해결하는 것보다는 숨기려는 경향이 있을 수 있다.

노하우 비공유: 업무에 대한 노하우나 경험을 다른 직원과 공유하는 것을 꺼려하는 경우도 있다.

이익추구: 베트남어를 모르는 관리자의 경우, 일부 직원들이 회사의 리소스나 정보를 활용해 개인의 이익을 추구하는 상황도 발생할 수 있다.

이러한 특성들을 이해하고 적절히 대응하는 것은 베트남에서의 성공적인 사업 운영에 크게 영향을 미칠 수 있다.

쉼터32 현지 직원의 배임

Q사는 산업용 계측기를 제조하는 기업이다. 베트남에 직접 유통법인 설립하고 직원을 현지에 파견했다. 그런데 중소기업이라 유능한 직원을 채용하기 어려웠다. 특히 영어가 가능한 직원을 한 명 밖에 채용하지 못했다. 그러나 법인장과 직원들의 노력으로 매출이 조금씩 늘어 법인이 안정되어 갔다. 그러나 2년이 지난 후부터는 이상하게도 고정 거래처에서 주문이 끊어지기 시작했다. 담당 직원에게 이유를 물었지만 본인도 모른다고 답변했다. 법인장은 베트남어를 몰라서 직접 거래처에 문의하기도 어려웠고 메일로 문의를 해도 답변이 없었다. 결국 외부 감사를 통해서 이유가 밝혀졌다. 담당 직원이 Q사의 경쟁사 제품을 본인이 수입해서 Q사의 기존 거래처에 더 싼 가격으로 제품을 납품하고 있었다. 그 직원을 해고했지만 거래처를 다시 찾을 수 는 없었다.

본사 경영진이 장애물이다.

베트남에서의 사업 확장 및 조직 운영은 여러 난관을 동반하며, 이런 복잡한 환경 속에서 경영진의 관점과 현지 책임자의 관점은 종종 맞지 않을 수 있다.

경영진이 원하는 것은 베트남에서의 조직이 본사와 동일한 방식으로 효율적으로 운영되는 것이다. 그러나 현지의 문화, 경제, 사회적 특성 등 다양한 요인들로 인해 이러한 기대는 쉽게 이루어지지 않는다. 특히, 현지 책임자는 본사의 지침과 현지의 실제 상황 사이에서 고려해야 할 여러 사항들을 맞추어야 하는 어려움에 직면하게 된다.

이때 현지 책임자가 본사에 실제로 발생하는 인사문제를 정확하게 보고할 경우, 일부 경영진은 이를 현지 책임자의 능력 부족이라고 간주하고, 그로 인해 문제를 해결하는 대신 문제의 원인을 현지 책임자에게 돌리는 경우가 있다. 이런 상황에서 현지 책임자는 자신의 목소리를 듣지 않는 본사와 소통에 불신을 갖게 된다.

이렇게 되면 현지 책임자는 본사에 가장 무난한 보고를 하게 되며, 본사의 기대에 부응하려는 압박으로 인해 진정한 문제점을 제대로 전달하지 못하게 된다. 결국, 이는 베트남 법인의 지속적인 문제점을 해결하지 못하게 만든다.

장애물 이렇게 해결해보자

다른 기업들의 경험과 조직 운영 방식을 조사하고 이를 참고하는 것은 현지에서 성공적인 사업 운영을 위한 중요한 요소이다. 다른 기업들의 사례를 통해 어떤 문제점과 어떤 해결책들이 있는지를 파악하고, 이를 바탕으로 자신의 기업의 전략을 조정하거나 개선할 수 있다.

한국 대기업들이 베트남에서 한국인 비중을 높게 유지하는 이유는 다양하다. 핵심적으로는 현지 직원들로만 조직을 운영하는 데 있어서의 어려움들 때문이다. 현지 문화와 작업 방식, 무단 결근 및 위반 사항 등의 문제들은 생산성을 저해하며, 이에 따른 경영상의 위험을 최소화하기 위해 한국인 관리자의 채용이 필요하게 된다.

대기업들은 이러한 문제점을 경험하면서 한국인 담당자를 중요한 부서에 배치하는 전략을 채택했다. 중요한 부서의 한국인 관리자는 조직 내에서의 커뮤니케이션 향상, 효율적인 업무 처리, 문제점 해결의 능률을 높이는 역할을 수행한다.

따라서 베트남 현지 법인 운영은 인사문제 등 여러가지 이유때문에 쉽지 않음을 본사 경영진이 인식하고 이에 맞는 현지 운영계획을 수립하는 것이 바람직하다. 중소기업들도 대기업들의 이런 접근법을 참고하여 베트남어에 능숙하고 현지에서의 경험이 풍부한 한국인 관리자를 채용하는 방향을 고려해야 한다. 이렇게 함으로써 중소기업들도 베트남에서의 조직 운영에서 생기는 여러 어려움을 효과적으로 해결할 수 있을 것이다.

정부 지원사업 활용하기

지금까지 내용을 읽은 기업 중에는 자사가 아직 베트남에 진출할 준비가 되지 않아서 실망한 기업이 있을지 모른다. 하지만 모든 기업이 처음부터 완벽하게 준비할 수 있는 것은 아니다. 그렇기에 자신의 기업 상태를 정확하게 인식하고, 그에 따른 부족한 부분을 채우기 위한 다양한 방안을 고려하는 것이 중요하다.

베트남 시장에 진출을 진심으로 고려하는 기업들은 자신들의 상황을 정확히 파악하고, 그에 따른 필요한 지원과 도움을 외부로부터 받아 사업을 진행하는 것은 매우 현명한 전략이다. 특히 한국 정부와 관련 기관들은 해외 진출을 위한 다양한 지원 프로그램과 교육을 제공하고 있다. 이러한 프로그램들을 활용하면 기업은 외부 전문가의 도움을 받아 더욱 체계적이고 전문적인 사업 준비를 할 수 있다.

또한, 이러한 지원 프로그램을 통해 해외 진출에 필요한 다양한 정보와 노하우, 그리고 사례들을 학습할 수 있다. 이는 기업이 현지 시장의 특성과 문화를 더욱 깊게 이해하는 데 큰 도움이 될 것이다. 그럼 중소기업에게 도움을 주고 있는 정부 기관들에 대해서 간단히 알아 보도록 하자.

1. KOTRA 활용하기

KOTRA는 한국 기업의 해외 진출을 적극적으로 지원하는 정부 산하기관으로, 기업들에게 수출 및 해외 투자를 돕는 다양한 프로그램과 서비스를 제공하고 있다. 이러한 서비스와 프로그램은 회원 가입만으로도 무료로 이용 가능하며, 일부 프로그램의 경우 유료로 제공되기도 한다.

KOTRA는 국내외에 광범위한 네트워크를 보유하고 있으며, 국내에는 각 광역자치단체에 지방무역관을, 해외에는 주요 도시에 해외무역관을 운영하고 있다. 이를 통해 기업들은 전세계 어디에서든지 KOTRA의 지원을 받을 수 있다.

다양한 사업 중에서도 스타트업 지원사업은 초기 창업 기업이 해외시장 진출을 위한 기본 역량을 갖추도록 도와준다. 자사 역량 강화 지원사업은 기업의 전략적 수출능력을 향상시키기 위해 진행되며, 지사화 사업은 해외에서의 영업활동 활성화를 위해 지원된다. 해외물류네트워크사업은 해외 진출 기업의 물류 문제 해결을 위해 마련되었고, 중견기업 육성사업은 중견기업의 해외 진출을 지원하기 위한 프로그램이다.

해외 진출을 준비하는 기업에게는 KOTRA의 다양한 사업과 서비스를 적극 활용하는 것이 좋다. KOTRA 홈페이지를 통해 각 사업에 대한 자세한 정보와 신청 방법, 그리고 다른 기업들의 사례를 확인할 수 있으므로, 이를 참고하여 자신의 기업 상황에 맞는 서비스를 선택하면 큰 도움을 받을 수 있을 것이다.

2. 중소벤처기업진흥공단 활용하기

진흥공단은 중소벤처기업의 건전한 발전과 경쟁력 강화를 도모하기 위한 다양한 지원 활동을 하고 있다. 주요 지원 사업으로는 자금 및 융자 지원, 기술개발, 인력개발, 정보제공, 해외 진출 지원 등이 있다.

기업들이 진흥공단의 지원을 받기 위해서는 먼저 진흥공단의 홈페이지를 방문하여 각 사업별 지원 범위와 자격 요건, 필요 서류 등의 정보를 확인해야 한다. 특히 중소벤처기업들이 자금 지원을 필요로 할 때 진흥공단의 자금 및 융자 지원 사업은 큰 도움이 될 것이다. 이를 통해 기업들은 제품 개발, 설비 증설, 기술 개발 등에 필요한 자금을 확보할 수 있다.

또한, 진흥공단은 해외 사업 활동을 지원하기 위한 다양한 프로그램도 운영하고 있다. 이 중 수출인큐베이터 사업은 해외 진출을 희망하는 기업들에게 현지 교역 거점에서의 마케팅 전문가와 법률, 회계 등의 전문 고문, 그리고 사무 공간 및 회의실 등을 제공하여 기업들의 해외 진출을 도와준다. 따라서 중소벤처기업들은 진흥공단의 다양한 지원 사업을 적극 활용하여 자신의 기업 경쟁력을 강화하고, 더 넓은 시장으로의 진출을 준비해야 한다.

3. 농수산식품 유통공사(AT) 활용하기

농수산업 및 그와 관련된 제품 생산과 유통을 하는 기업들에게는 AT(Agriculture Technology) 및 관련 지원 프로그램이 큰 도움이 될 수 있다. 기업들은 AT를 통해 다양한 기술과 정보를 얻을 수 있고, 필요한 자금 지원 및 인프라 구축에 필요한 도움을 받을 수 있다.

농수산업 분야에서의 생산 기술 혁신, 기계 및 장비 구입, 그리고 생산 시설 확충 등의 프로젝트를 추진할 때 필요한 자금 지원을 받을 수 있다. 이런 지원을 통해 기업은 경쟁력을 높이고, 효율적인 생산 환경을 조성할 수 있다.

또한, 국제식품박람회에 참가하는 것은 기업들에게 해외 시장으로의 판로 확장을 위한 중요한 기회가 될 수 있다. AT와 관련된 지원 프로그램을 통해 이러한 박람회 참가비용 및 마케팅 비용 등에 대한 지원을 받을 수 있으며, 해외 바이어와의 만남을 통해 신규 판로 개척의 기회를 얻을 수 있다. 결론적으로, 농수산업과 관련된 제품을 생산하거나 유통하는 기업들은 AT와 그와 관련된 다양한 지원 프로그램을 적극 활용하여 자신의 사업을 더욱 발전시키는 방향으로 나아가야 할 것이다.

4. 무역 보험공사 활용하기

우리 기업이 해외로 제품을 수출하거나 국제 거래를 진행할 때는 다양한 위험 요소에 대비하는 것이 중요하다. 이러한 위험 요소 중에서 가장 빈번하게 발생하는 문제는 수입자의 계약 파기, 파산, 대금 지급 지연 또는 거절, 그리고 수입국에서의 정치적 또는 경제적 위험으로 인한 수출 대금을 지급받지 못하는 상황이다.

이러한 위험 요소에 대비하기 위한 중요한 도구 중 하나가 바로 수출보험이다. 수출보험은 해외 거래 시 발생할 수 있는 다양한 위험으로부터 기업을 보호하는 역할을 한다. 이를 통해 기업은 다음과 같은 이점을 얻을 수 있다:

계약 파기 또는 파산 시 보상: 수입자가 계약을 파기하거나 파산하는 경우, 수출보험은 기업에게 발생한 손실을 보상한다.

대금 지급 지연 또는 거절 시 보호: 수입자가 약속한 날짜에 대금을 지급하지 않거나 지급을 거부하는 경우, 수출보험은 이로 인한 손실을 커버한다.

정치적 또는 경제적 위험 대비: 수입국에서 발생하는 정치적 또는 경제적 위험으로 인해 수출 대금을 회수하기 어려운 상황에서도 수출보험은 기업을 보호한다.

5. 지자체 활용하기

우리나라는 지방자치제도 도입 이후로 각 지자체가 관할하는 기업들의 경쟁력 향상을 위해 다양한 지원 프로그램을 운영하고 있다. 이런 프로그램은 스타트업 육성, R&D 지원, 바이오 산업 발전, 교육 지원 등 다양한 분야에서 기업의 역량을 강화하는 데 큰 도움을 주고 있다.

기업이 독자적으로 활동하는 것보다 이런 지원 프로그램을 활용하면 더욱 효과적인 결과를 얻을 수 있다. 또한 이런 프로그램을 통해 기업은 외부 전문가나 기관으로부터 자신의 사업 활동에 대한 객관적인 평가와 피드백을 받을 수 있게 된다.

특히, 각 지자체마다 기업의 사업 환경이나 필요한 지원이 다를 수 있기 때문에, 맞춤형 지원 프로그램을 통해 더욱 효과적인 지원을 받을 수 있다. 그러므로, 아직 기업의 준비가 부족하다고 느끼는 기업도 실망하지 말고 지자체의 지원 프로그램을 적극 활용하면 좋다.

관심 있는 기업들은 자신의 위치한 지자체 이름과 "경제과학진흥원"을 포털 사이트에 검색해보면 해당 지원 프로그램에 대한 자세한 정보를 얻을 수 있다.

쉼터33 정부 지원 사업을 활용한 성공 사례

건강기능식품을 생산하는 Y사는 정부 사업을 통해서 베트남 시장에 진출했다.

1단계: 처음 바이어와 만나기

Y사는 베트남 전시회에서 한 바이어를 만났다. 이 바이어는 서부 지방의 한 중소도시에서 건강식품을 판매하고 있었다. 미팅을 진행해보니 제품을 수입한 경험도 없고 규모가 너무 영세해서 Y사는 그 바이어에게 관심이 없었다. 그런데 전시회 마지막 날 그 바이어가 다시 방문했고 전시된 제품을 구매하고 싶어 했다. Y사는 바이어에게 자사 제품을 저렴한 가격에 판매를 했고 서로 연락처를 주고 받았다. 시간이 조금 흐른 뒤에 그 바이어는 추가로 제품 수입을 원했다. 제품의 수량은 많지 않았지만 Y사는 처음 베트남에 수출하게 되었다.

2단계: 다른 바이어와 협업하기

Y사는 첫 수출 이후에도 지속적으로 베트남 전시회 참가했다. 그때 Y사는 자사가 수출한 제품을 가지고 온 다른 바이어를 만나게 되었다. 그 바이어는 Y제품을 수입하고 싶어 했다. 자신은 호치민에 사무실이 있고 고객이 더 많으니 기존 바이어와 거래를 하지 말고 자신과 하자고 했다. 그러나 기본 바이어와의 거래도 중요했기 때문에 협의 끝에 신규 바이어에게는 Y사의 다른 제품을 수출하기로 협의했다. 그리고 소량이지만 몇 번 더 수출을 진행했다.

3단계: 오프라인 매장 입점

소량이지만 꾸준히 수출한 결과 Y사는 자사 제품의 성공 가능성을 확인했다. 그래서 Y사는 더 큰 바이어를 만나기를 희망했다. Y사의 계획은 유명 쇼핑몰에 입점하면 홍보효과가 클 것으로 판단해서 오프라인 매장을 운영하는 기업과 거래를 원했다. 고객이 원하는 단가와 디자인을 준비해서 바이어를 찾았고 제품이 시장에서 유통되고 있었기 때문에 생각보다 쉽게 수출을 진행할 수 있었다. 자사 브랜드가 아닌 OEM 제품이었지만 Y사 제품은 고가 제품으로 분류되어서 오프라인 매장에 입점하는 데 성공하였다

4단계: 대기업과 협업하기

오프라인 매장에서 판매되고 있던 Y사 제품을 베트남 유명인 중 한 명이 우연히 구매하게 되었다. 이분은 북부 지방에 거주하고 있었는데 겨울철이 되면 손발이 저린 증상이 심해서 어려움을 겪었다. 그런데 이 제품을 복용한 후 증상이 호전되어 자연스럽게 지인들에게 체험담을 올렸던 것이다. 그 후에 방문판매업체에서 이 제품에 관심이 가졌고 한국을 직접 방문해서 Y사와 약 50만 달러의 계약이 성사되었다.

현재: 건강기능식품 기업으로 성장

그 후 Y사는 제조업과 유통업을 분리해서 마케팅에 역량을 강화했고 강소기업으로 성장하고 있다.

IV

소상공인과 중소기업을 위한 실용적인 TIP

베트남은 미국, 중국, 일본을 제외한 국가 중에서 교민이 가장 많은 국가 중 하나이다. 2020년 현재, 약 10만 명 이상의 교민이 거주하고 있다. 이 중에는 한국에서 파견된 직원들과 그 가족뿐만 아니라 개인 사업을 목적으로 이주한 교민들도 많이 있다. 그러나 적지 않은 수의 교민들이 개인 사업에 실패하고 있다. 이들의 실패에는 여러 가지 이유가 있겠지만 베트남 현실을 충분히 파악하지 않고 성급하게 투자를 진행한 것이 가장 큰 이유이다. 그래서 소상공인들의 성공 가능성을 높이기 위한 TIP과 중소기업이 주로 관심을 가지고 있는 몇몇 시장들에 대한 참고할만한 정보와 사례 몇 가지를 소개하도록 하겠다.

소상공인을 위한 TIP

- 혼자서 투자를 결정하지 말자.

- 투자를 서두르지 말자.

- 투자를 위해서 참고한 정보의 진위를 확인하자.

- 사업을 위한 장소의 임차는 최대한 천천히 진행하자.

- 핸드 캐리는 신중히 사용하자.

- 베트남 법규 특히, 노동법을 준수하자.

- 베트남어를 포기하지 말자.

- 비자 문제를 정확히 해결하자.

1. 혼자서 투자를 결정하지 말자.

베트남의 사업 환경은 빠르게 변화하고 있으며, 그만큼의 리스
크도 동반한다. 소상공인이 현지에서 사업을 시작할 때 가장
필요한 것은 깊이 있는 시장 조사와 충분한 정보이다. 사업의
성패는 대부분 초기에 얼마나 체계적이고 꼼꼼한 준비를 했는
지에 달려있다. 지인의 경험이나 전시회에서 얻은 정보도 중요
하지만, 그것만으로는 한계가 있다. 성공한 사례만 참고하는
것이 아니라 실패한 사례도 분석하면서 어떤 요인들이 실패를
가져왔는지 파악하는 것도 중요하다. 이를 위해 중진공, 무역
협회, KOTRA와 같은 정부기관에서 제공하는 다양한 정보와
지원 서비스를 활용하는 것이 바람직하다. 특히, 전문가와의
상담은 기업의 사업 방향성을 결정하는 데 있어 결정적인 역할
을 한다. 전문가는 현지의 문화와 시장 특성, 소비자 행동 등

다양한 정보를 제공해줄 수 있으며, 그로 인해 기업은 사업에 대한 확고한 방향성을 설정할 수 있다.

마지막으로, 모든 투자에는 리스크가 따르기 마련이다. 하지만 그 리스크를 최소화하기 위해서는 다양한 정보를 바탕으로 체계적이고 신중한 준비가 필요하다. 이런 준비를 혼자서 하고 또 투자 결정을 혼자서 한다면 그만큼 리스크는 커질 수 밖에 없다. 혼자서 모든 것을 결정하는 실수를 하지 말아야 한다

2. 투자를 서두르지 말자.

투자는 장기적인 시각에서 볼 때 여러 변수에 따라 성공과 실패가 결정된다. 때문에 성급한 결정은 대개 좋지 않은 결과를 초래한다. 특히 해외 투자의 경우, 현지의 문화와 시장, 그리고 규제 환경 등 다양한 요소를 고려해야 하기 때문에 섬세한 준비와 계획이 필요하다.

정부기관이나 전문가들의 조언은 중요하지만, 실제 현장에서의 경험과 관찰을 통해 얻는 정보는 그 어떤 전문적인 조언보다 더 중요하다. 현지에서 직접 체류하면서 사업 환경을 체험하고, 다른 소상공인들의 사례를 관찰하는 것은 투자의 성공을 위한 가장 효과적인 방법 중 하나이다.

또한, 실패 사례를 공부하는 것은 매우 중요하다. 실패의 원인을 분석하면 그것을 피하거나 준비할 수 있기 때문이다. 성공 사례만을 참고하면 편협한 시각에 빠질 위험이 있기 때문에, 실패 사례를 꼼꼼히 분석하며 준비하는 것이 필요하다.

마지막으로, 사업은 끊임없는 노력과 인내, 그리고 지속적인 관찰과 학습을 필요로 한다. 성급한 행동은 대부분 후회를 낳기 마련이다. 투자의 성공을 위해서는 급하게 달려가기보다는 천천히, 그리고 꾸준히 걸어가는 것이 바람직하다. 최소한 3개월 이상 아무것도 하지 말고 시장 정보를 알아보자.

3. 투자를 위해서 참고한 정보의 진위여부를 확인하자.

정확한 정보는 해외 시장 진출에서 성공의 가장 중요한 기반이다. 특히 소상공인이 베트남과 같은 해외 시장에 개인사업을 추진하고자 할 때, 정보의 신뢰도와 출처는 그들의 성공에 큰 영향을 미친다. 따라서 무비판적으로 정보를 받아들이는 것은 위험하다.

대기업은 베트남 시장을 진출하기 전에 많은 조사를 진행한다. 내부적으로 서로 모르는 2개 팀 이상을 베트남에 파견하여 최소 6개월 간 거주하게 하면서 상세한 정보를 수집한다. 2개 팀 이상을 보내는 이유는 각 팀이 보고하는 정보가 정확한

지 여부를 상호 확인하기 위해서다. 그러나 대부분의 소상공인이 이와 같은 방식을 따라하는 것은 어렵다.

따라서 소상공인은 가능한 많은 관련 업계 전문가들이나 정부기관의 도움을 받는 것이 중요하다. 이러한 경로로 얻은 정보는 다양한 시각에서 검증되고 신뢰할 수 있는 자료가 될 수 있다.

정보의 신뢰도를 높이기 위한 다른 방법으로는 현지에 직접 방문하여 시장 조사를 하는 것도 추천된다. 실제 현장에서의 경험을 통해 얻은 정보는 문서나 보고서를 통한 정보보다 훨씬 정확하고 직관적일 수 있다. 따라서 반드시 내가 알고 있는 정보의 진위여부를 다시 한번 확인하는 것이 좋다.

4. 사업을 위한 장소의 임차는 최대한 천천히 진행하자.

투자 결정에 앞서 충분한 조사와 검토는 필수적이다. 베트남에서의 사업은 복잡한 문화적, 법적 요소들이 있기 때문에, 매장을 오픈하거나 사무실을 임대할 때 반드시 체계적인 계획과 준비가 필요하다. 대기업들은 한 매장 오픈을 위해 다양한 조사와 평가를 거친다. 임대료, 매장 위치의 전략성, 고객 유동성 등 여러 요소를 고려한다. 물론 소상공인이 대기업과 같이 할 수 는 없지만 그들의 의도는 충분히 받아 드려야 한다.

소상공인이 사업을 하기 위해서는 어떤 형태로든 투자 허가는 필수이다. 그런데 외투기업 허가 취득에는 시간이 소요되기 때문에, 사무실이나 어떤 장소를 임대하는 것보다 허가를 먼저 받는 것이 합리적이다. 법무법인을 통한 임시 주소 제공 서비스도 활용하여 비용을 절약할 수 있다.

또 차명으로 사업을 하는 것은 베트남에서의 일반적인 방법 중 하나이지만, 이로 인한 리스크도 항상 존재한다. 특히 현지인 명의로 사업을 진행할 때는 항상 신뢰도 높은 현지인을 선택하고, 필요한 법적 계약을 체결하는 것이 중요하다. 예를 들면 현지인 명의의 법인을 설립할 때 그 법인과 소상공인간에 자금대여계약을 맺는 것이다. 이렇게 하면 명의자가 자신의 회사라고 주장하는 순간 대여금 반환을 요구하면 어느 정도 우리의 권리를 지킬 수 있다.

5. 핸드 캐리는 신중히 사용하자.

소상공인들의 사업 활동에 있어서 핸드 캐리를 통한 제품 수입은 간단하고 경제적인 방법이다. 특히 초기 시장 조사나 시장성 테스트를 위한 제한된 양의 제품을 수입할 때는 매우 효과적이다. 그러나 이러한 방법이 습관이 되어 지속적으로, 또는 큰 규모로 이루어질 경우 베트남의 규제와 법령에 위배될 수 있다.

핸드 케리를 통한 수입이 반복될 경우, 이는 정부의 감시 대상이 될 수 있다. 특히 베트남 경제 공안은 이러한 불법 수입에 대해 매우 엄격하게 대응하며, 압수나 과태료 부과는 기본이다.

더욱이 매장 겸 사무실에서 정식 수입 경로를 거치지 않은 제품을 진열하거나 판매하는 것은 명백한 위법 행위이다. 이로 인해 발생할 수 있는 불이익은 소상공인의 사업에 치명적인 타격을 줄 수 있다. 따라서, 한번의 시장성 테스트나 임시적인 수입을 위해서는 핸드 케리를 활용할 수 있으나, 장기적이고 지속적인 사업 운영을 위해서는 정식 수입 절차를 준수하는 것이 안전하며, 사업의 지속성을 확보하는 가장 확실한 방법이다.

6. 베트남 법규 특히, 노동법을 준수하자.

사업을 운영하는 과정에서는 다양한 법적, 윤리적 규정들이 존재한다. 이러한 규정을 무시하거나 위반하는 행위는 단기적으로는 비용 절감이나 효율성 향상으로 이어질 수 있지만, 중장기적으로 보았을 때 소상공인에게 법적 책임, 금전적 손해 등 다양한 위험을 줄 수 있다.

특히 노동관련 법률은 직원과 기업간의 권리와 의무를 보호하고, 공정한 노동 환경을 조성하기 위한 목적으로 제정되었다. 그런데 직원과 노동계약을 체결하지 않거나, 급여 지급을 지연하거나, 초과 근무에 대한 수당을 지급하지 않는 행위는 노동법을 위반하는 것이며, 이는 소상공인에 큰 불이익을 가져올 수 있다.

언젠가 직원과의 분쟁이 발생하게 되면 그는 베트남 공안에 소상공인이 지금까지 소홀히 취급했던 소소한 법률위반들을 고발할 것이고 결국 작은 것을 지키려다 큰 것을 잃어버리게 되는 상황에 직면하게 될 수 도 있다.

7. 베트남어를 포기하지 말자.

베트남어 학습은 누구나 초기에 의욕과 흥미를 가지고 시작하더라도 발음의 어려움과 다양한 억양, 성조 등의 난해함으로 인해 어려움을 겪을 수 있다. 특히 한국인에게는 발음과 억양의 차이가 크기 때문에 언어 학습이 더 어렵다. 더욱이, 현지인과의 대화에서 자신의 말이 전달되지 않거나, 상대방의 말을 제대로 이해하지 못하는 상황에 많은 좌절감을 겪기도 한다. 그러나 베트남에서 사업을 운영하는 한국 기업이나 소상공인에게 베트남어는 피할 수 없는 필수 요소이다. 원활한 의사소통은 사업의 성패를 결정짓는 중요한 요소 중 하나이기 때문이다. 식당, 미용실과 같이 개인의 기술이 중요한 자영업은 상대적으로 그 필요성이 덜하겠지만 조직의 운영으로 수익을 창출해야 하는 업종이라면 그 기업의 대표는 베트남어를 포기해서는 안된다.

만약 "나는 정말 베트남어가 너무 어렵다."고 생각해서 베트남인 통역원을 채용하는 것도 하나의 방법일 수 있으나 그의 언어 능력과 업무능력은 별개 사항이다. 따라서 베트남어에 능숙한 한국인 직원을 채용하는 것이 더 좋은 선택일 수 있다. 한국인 직원은 한국의 기업 문화나 업무 방식을 잘 이해하고 있고 베트남에 대한 경험도 있기 때문에 기업의 업무 효율성을 높일 수 있다. 대기업이 현지에서 한국인을 채용하는 이유 역시 이러한 효율성 때문이다. 결국, 소상공인의 베트남어 학습과 유능한 직원의 채용은 베트남에서 사업 성공의 중요한 열쇠로 작용할 수 있다.

8. 비자 문제를 정확히 해결하자.

베트남에서 사업을 영위하는 소상공인들은 다양한 문제들에 직면하곤 하지만, 그 중에서도 비자 관련 문제는 가장 큰 고민거리다. 비자는 외국에서 장기 거주하며 사업을 진행하는 데 있어 필수적인 조건이기 때문이다. 정상적인 외투 기업 형태로 설립된 경우에는 비자 문제가 상대적으로 간단하다. 그러나 다양한 사정으로 현지인 명의의 기업을 설립한 경우, 비자 취득이 복잡해질 수 있다. 이러한 문제를 해결하기 위해 일부 소상공인들은 비자 브로커를 통해 편법으로 페이퍼 컴퍼니를 만들어 비자를 얻는 방법을 선택하기도 한다.

하지만 베트남 출입국 사무소는 년 1-2회 정기적으로 외국인의 비자 상황을 점검하며, 편법을 통한 비자를 취득한 자들에게는 높은 과태료를 부과하고 있다. 특히, 그들은 외국인에게 더 많은 과태료를 부과하기 위해서 일부러 비자의 편법 취득을 방조하고 있다.

따라서, 처음부터 외투 법인을 정상적으로 설립하여 비자를 취득하는 것이 장기적으로 보면 더 좋을 수 도 있다. 초기 투자금과 시간, 노력이 필요하겠지만, 이를 통해 잠재적인 리스크와 추가 비용을 피할 수 있다. 하지만 소규모 자영업일 경우 믿을 수 있는 현지인이 있다면 다른 방안도 있다. 즉, 현지인 명의를 사용해 법인을 설립하고 그 기업에 채용된 형태로 노동계약을 하면 된다. 그리고 적합한 임금을 기업으로 받고 소득세를 납부하면 향후에 발생 가능한 비자 문제를 막을 수 있고 경제적으로도 더 나은 이익을 얻을 수 있다. 어떤 길을 선택할 지는 소상공인에게 달려있다.

중소기업을 위한 시장 정보와 TIP

중소기업들이 많은 관심을 가지고 있는 베트남 식품 시장, 유아용품 시장, 화장품 시장, 기계 및 설비 시장, 화학 및 첨가제 시장에 대한 정보를 대략적을 서술하였다. 또 이런 시장들의 현재 현황과 성공적인 진출을 위해사 필자가 생각하는 방안들을 몇몇 사례들과 함께 제시하였다.

- 베트남 식품 시장 현황과 성공 가능성 높이기

- 화장품 시장 현황과 성공 가능성 높이기

- 유아용품 시장 현황과 성공 가능성 높이기

- 자동화 기기 및 기계류 제품의 시장 진출 방안

- 화학 및 첨가제 제품 시장 진출 방안

1. 베트남 식품 시장 현황

베트남 식품 시장은 빠른 성장률을 보이며 다양한 국가의 제품들이 입점하고 있다. 다행이 중국산 제품에 대한 소비자의 불신이 강하게 나타나는 가운데, 한국산 제품들은 미국산, 일본산, 태국산 제품들과 함께 그 품질과 브랜드 파워를 바탕으로 소비자들의 큰 관심을 받고 있다.

중국산 식품에 대한 베트남인들의 불신은 다양한 원인에 기인한다. 그 중 하나는 과거 중국에서 발생한 식품 스캔들과 중국산 닭고기 방부제 사건 등은 베트남 소비자들에게 큰 충격을 줬다. 이와 반대로, 한국 제품은 안정적인 품질과 다양한 마케팅 활동을 통해 소비자들에게 긍정적인 이미지를 구축해왔다. 그 결과, 베트남에서는 다양한 한국식품 브랜드들이 인기를 누리고 있다. 대표적으로 라면은 한국의 대표적인 식품 제품으로 자리잡았으며, 더불어 만두, 아이스크림, 홍삼, 김, 두유, 다(茶)류 등도 베트남 시장에서 큰 성공을 거두고 있다. 큰 기업들, 예를 들어 오리온, 오뚜기, 대상 등은 현지에서의 생산 시설을 설립하여 수출뿐만 아니라 베트남 내수시장 진출에도 성공적인 전략을 구사하고 있다.

이러한 동향은 중소기업들에게도 기회로 작용한다. 이미 시장에서 인정받은 한국 브랜드의 이미지를 바탕으로 새로운 제품 또는 다양한 브랜드 전략을 선보이면 베트남 소비자들의 큰 관심을 받을 가능성이 높다.

1) 김 시장과 수출 방안

김은 베트남에서 스낵용과 김밥용으로 나눠볼 수 있다. 베트남 소비자는 김을 스낵으로 인식하고 있기 때문에 조미김도 여기서는 스낵이다. 스낵 김은 태국산 제품이 시장에서 많이 판매되고 있는데 그 원료의 대부분을 한국에서 수입하고 있다. 또 한류의 영향으로 김밥이 베트남에서 대중화가 되면서 김밥용 김도 일반 마트에서 쉽게 구매할 수 있게 되었다. 김은 온도와 습기에 영향을 받는 제품이기 때문에 반드시 냉장 창고에 보관해야 하고 제품 배송 시 냉장 차량 이용은 필수다. 베트남 시장에 관심이 있는 김 제조기업은 현지 마트를 방문해서 시장을 조사한다. 시장조사 결과 자사제품이 경쟁력이 있다고 판단되면 바이어 발굴을 시작한다. 그러나 베트남 시장 진출은 기업의 생각보다 쉽지 않다. 우리 제품이 매장에 입점하기 위해서는 다양한 제품, 저렴한 가격, 훌륭한 마케팅 계획 등 어떤 특출 난 강점이 필요하지만 이를 갖추고 베트남 진출을 준비하는 기업들이 많지 않기 때문이다. 그리고 김을 유통하고 있는 바이어는 손가락에 꼽을 정도로 소수여서 협력할 대상이 제한적인 것도 이유다. 그래도 기업이 정말 베트남에 진출하고 싶다는 의지가 있다면 전혀 방법이 없는 것은 아니다.

신규 바이어와 협력

신규 바이어와의 협력은 초기 투자와 노력이 필요한 만큼 리스크도 크다. 그러나 장기적인 관점에서 보면, 이런 협력은 회사에 큰 기회와 가치를 가져다 줄 수 있다. 다음은 신규 바이어와 협력을 추진할 때 고려해볼 수 있는 전략적 접근법이다:

상품 샘플 제공: 초기 단계에서는 상품 샘플을 제공하여 바이어에게 제품의 품질과 특징을 알릴 수 있습니다. 이를 통해 바이어의 신뢰를 얻을 수 있다.

소통 강화: 신규 바이어와의 협력 초기 단계에서는 의사소통의 중요하다. 정기적인 미팅, 업데이트, 피드백 세션 등을 통해 바이어와의 관계를 강화해야 한다.

유연한 조건 제시: 초기 협력 단계에서는 가격, 납기, 배송 조건 등에 있어서 유연성을 가질 필요가 있다. 이를 통해 바이어와의 협력의 문을 열 수 있다.

후속 지원: 신규 바이어와의 협력이 시작된 후에도 지속적인 품질 관리, 마케팅 지원, 교육 프로그램 등을 제공하여 바이어의 성공을 지원하는 것이 좋다.

신규 바이어와의 협력은 단기적인 이익보다는 장기적인 관계 구축과 시장 점유율 확대를 목표로 해야 한다. 초기에는 투자와 노력이 많이 필요하겠지만, 장기적으로는 높은 수익과 시장의 지속적인 성장을 기대할 수 있다.

직접 현지 진출

우리 기업이 베트남에 직접 법인을 설립하고, 주요 쇼핑몰 또는 대형 마트 주변에 매장을 오픈하는 것이다. 이 위치는 특별한 홍보 활동 없이도 주변에 방문객이 많기 때문에 이점이 있다. 기업이 직접 매장을 운영하면 원하는 이벤트나 프로모션을 자유롭게 진행할 수 있다. 그러나, 이런 직접적인 방법은 쉽지 않은 면도 있다. 제품의 종류가 제한적이며 초기 투자 비용도 상당하다. 리스크도 크기 때문에, 기업이 이러한 방법으로 진출하기 전에 몇 가지 사항을 고려해야 한다.

현지 파트너와의 협업: 현지에서의 네트워크와 시장 지식을 가진 파트너와 협업하여 리스크를 분산시킬 수 있다.

다양한 제품 라인업: 단독 매장을 운영하는 경우, 다양한 제품을 제공하여 소비자들의 선택의 폭을 넓히는 것이 중요하다.

가능한 넓은 매장: 김 제품일 경우 보관문제가 중요하기 때문에 매장을 임차한다면 창고로 동시에 이용이 가능할 만큼의 공간을 임차하는 것이 중요하다.

컨소시엄 구성

지자체와 동종 업체 등을 포함한 컨소시엄을 구성하여 베트남 시장에 진출하는 방법은 매력적인 전략 중 하나이다. 이렇게 컨소시엄을 구성하면 다음과 같은 이점을 얻을 수 있다:

다양한 제품 라인업: 여러 업체들이 협력하여 다양한 종류의 김 제품을 공급할 수 있으며, 이는 베트남 소비자들에게 다양한 선택지를 제공하는 데 도움이 된다.

현지 지원: 지자체와 협력하여 베트남 내에서의 사업 활동을 지원받을 수 있다. 현지 지원은 무역 관련 규정 및 법률, 그리고 마케팅 및 프로모션 등 다양한 측면에서 이루어질 수 있다.

비용 분담: 업체들 간에 비용을 분담하면 초기 진출 비용을 분담할 수 있으며, 이는 기업들에게 더 큰 재정적 유연성을 제공할 수 있다.

신뢰 구축: 다수의 업체가 함께 협력하는 모습은 베트남 시장에서의 신뢰와 명성을 구축하는 데 도움이 될 수 있다.

그러나 이러한 컨소시엄을 구성하고 운영하는 것은 쉽지 않다. 컨소시엄을 구성하기 위해서는 다양한 이해관계와 협력을 조정하는 것이 필요한데 이것이 생각보다 쉽지 않기 때문이다. 그래도 중소기업이 베트남 시장에 진출하는 방안들 중에서 가장 매력적인 방법임에는 분명하다.

태국산 스낵용 김 (상, 하)　　　　한국산 조미김 (상, 하)

그림6 베트남 시에서 판매중인 김 제품

2) 홍삼제품의 성공 방안

베트남 시장에서의 상품 가격 책정은 소비자의 구매력과 시장의 수요에 크게 영향을 받는다. 홍삼 제품이 건강에 좋다는 것은 널리 알려져 있지만, 가격이 너무 비싸면 소비자들의 접근성이 제한되어 판매량에 큰 영향을 미칠 수 있다. 그래서 성공적으로 베트남 시장에 진출하기 위해서는 시장에 맞는 진출방안을 수립해야 한다.

베트남 특성 고려: 베트남의 경제 수준과 소비자의 구매력을 고려하여 제품의 가격을 책정해야 한다. 또한 베트남 소비자의 구매 성향과 소비 문화도 고려하여 제품의 가치를 전달해야 한다. 베트남은 누군가에게 선물을 하기 위해서 홍삼을 구매하는 경우가 많다. 따라서 선물용으로 제품을 준비하는 것도 좋은 방법이다.

적절한 가격 책정: 제품의 품질과 가격 사이에 균형을 찾아야 한다. 무조건 높은 품질의 제품을 준비하는 것이 아니라 적당한 품질의 제품을 준비하고 소비자들이 구매할 수 있는 합리적인 가격 범위를 정해서 판매하는 것이 중요하다.

제품 라인 확장: 다양한 가격대의 제품 라인을 출시하여 다양한 소비자층을 대상으로 확장할 수 있다. 예를 들어, 프리미엄 홍삼 제품뿐만 아니라 중급 혹은 저가의 홍삼 제품도 함께 제공하여 소비자들의 선택의 폭을 넓힐 수 있다.

제품 교육 및 마케팅: 제품의 품질과 효능을 소비자들에게 잘 전달하면, 소비자들은 제품의 가치를 인식하고 더 높은 가격에도 제품을 구매할 가능성이 높아진다. 따라서, 베트남 시장에서의 성공적인 홍삼 제품 판매를 위해서는 제품의 품질과 가격, 그리고 시장의 특성을 잘 이해하고 적절한 전략을 세워야 한다.

쉼터34 홍삼 기업은 이렇게 실패한다.

B사는 홍삼제품 전문기업이다. 내수 시장에서 경쟁이 심해져 한국 인삼이 인기가 좋다는 베트남 시장에 진출하기로 했다. 지자체와 협업으로 '지역브랜드'를 만들고 수출 상담회를 통해서 바이어를 만났다. 그 바이어를 통해 수출을 진행했지만 첫 수출 이후로1년이 흘렀음에도 추가 주문이 없었고 연락도 끊어졌다. 이에 B사는 베트남에 직접 진출해서 브랜드 홍보 및 판매를 하기로 결정했다. 제품 판매를 위해서는 매장의 위치가 중요했지만 좋은 위치는 예상보다 임대료가 너무 높았고 유명 쇼핑몰은 B사 제품이 현지 사장에서 판매실적이 없다는 이유로 입점을 거절했다. 그래서 할 수 없이 적당한 지역의 대로변에 있는 건물을 임차하고 외투 법인을 설립하였다. 그러나 B사가 만든 홍삼 브랜드는 유명 브랜드도 아니고 제품 가격도 경쟁사 제품에 비해서 큰 차이가 없었다. 또 베트남 소비자가 원하는 소포장과 저가 제품을 준비하지 않았다. 매장의 위치도 교통량이 많기는 하지만 고객이 접근하기는 어려운 장소였다. 결국, B사는 1년도 버티지 못하고 한국으로 철수하게 되었다.

2. 베트남 화장품 시장 현황과 성공 방안

베트남 화장품 시장은 활발한 성장세를 보이며 다양한 국가의 브랜드들이 경쟁하고 있다. 일본, 한국, 미국, 프랑스 등의 국가에서 온 브랜드들이 시장 점유율을 확장하고자 활발한 활동을 펼치고 있다. 고소득층은 주로 유명 브랜드를 선호하나 일반 소비자들은 가격 대비 품질을 중요시하며 중소 브랜드를 선호하는 경향이 있다.

그러나 중소기업들이 베트남 화장품 시장에 진출하려 할 때 종종 하는 착각이 있다. 그들은 현지에서의 마케팅 활동은 바이가 다 알아서 할 것이라는 생각하는 것이다. 물론 그런 바이어들이 있지만 그들은 주로 대기업과 협업하고 있어서 중소기업과 협력은 쉽지 않다. 따라서 다른 기업은 몰라도 우리는 좋은 바이어를 찾을 것이라는 생각은 심각한 오산이다. 더 나아가, 중소기업들은 종종 제품의 품질만을 강조하며 가격 경쟁력을 간과하기도 한다. 그러나 베트남 소비자들은 품질뿐만 아니라 합리적인 가격도 중요하게 생각한다. 따라서 베트남 화장품 시장에 성공적으로 진출하려면, 중소기업들은 현지 시장의 동향을 꾸준히 파악하며, 소비자들의 니즈에 맞춘 제품을 개발하는 것이 중요하다. 또한, 현지 마케팅 전략을 개발하고, 바이어와의 관계를 확고히 구축하는 것도 무시할 수 없는 핵심 요소이다.

현지 온라인 플랫폼에서 판매되고 있는 한국 색조화장품

그림7 베트남 판매 중인 중소기업 제품들

1) 화장품의 성공 가능성 높이기

베트남 화장품 시장에서 경쟁력을 확보하려면, 중소기업들은 명확한 타겟 시장을 정하고 그에 맞는 제품을 개발 및 공급해야 한다. 모든 소비자를 대상으로 하는 것이 아니라, 제품의 특성과 우수성을 고려하여 특정 고객층을 선정하는 것이 중요하다.

우선, 어떤 고객층을 타겟으로 할지를 결정해야 한다. 이를 위해 나이, 성별, 지역, 특별한 피부 관련 문제 등은 주요 고려 대상이다. 예를 들어, BB크림을 사용하는 소비자들 중에서 피부 트러블을 겪는 소비자들을 타겟으로 하신다면, 피부 트러블 완화 기능을 갖춘 BB크림 제품을 개발하고 홍보하는 것이 좋다.

또 해당 타겟 시장을 세분화하여 더 구체적으로 고객 프로파일을 만들어야 한다. 예를 들어, 여성 소비자 중에서도 나이가 20대인 성인들을, 혹은 특별히 미백 제품을 찾는 소비자들, 또는 피부 트러블이 고민은 청소년들을 대상으로 선정하는 등, 제품의 특성과 고객의 니즈에 따라 세분화할 수 있다.

이렇게 타겟 시장을 정하고 나면, 해당 고객층에 맞는 제품을 개발하고 마케팅 전략을 수립해야 한다. 베트남 시장의 특성과 소비자의 니즈를 깊이 파악하고, 이를 바탕으로 유통과 마케팅 전략을 세워야 한다. 마케팅 전략은 중요한데, 이를 통해 선택한 타겟 시장에 도달하고 고객들의 관심을 끌어야 한다. 이를 위해 현지 마케팅 전문가나 정부지원 기관에게 조언을 구할 수 있다.

요약하면, 베트남 화장품 시장에서 성공적으로 활동하려면, 중소기업들은 타겟 시장을 정하고 그에 맞는 제품을 공급하는 것이 중요하다. 이를 위해 고객층을 세분화하고, 제품 개발 및 마케팅 전략을 철저히 계획하여 실행한다. 마지막으로 마케팅을 위한 예산은 정부 사업을 잘 활용하면 부족한 부분에 대한 지원을 어느 정도는 받을 수 있다.

쉼터35 화장품 기업의 실패 I

D사는 중국 시장에 화장품을 수출했지만 최근 중국과 발생한 외교분쟁의 여파로 수출량이 대폭 줄어들었다. 이를 만회하기 위한 새로운 시장으로 베트남을 결정했다. D사는 베트남의 대형 바이어들은 이미 글로벌 기업과 협력을 하고 있어 거래가 어렵다고 판단했다. 그래서 타 업종이지만 인맥과 자금이 많고 화장품 유통을 원하는 기업을 발굴하기로 했다. D사는 제품이 다양하고 가격 경쟁력 있어서 적합한 바이어와 협력할 수 있었다. D사는 최저가로 제품을 공급하는 대신에 바이어 선(先)결제 100%로 하고 현지에서 유통과 마케팅을 책임지기로 했다. 그러나 시간이 지나자 바이어는 100% 선(先) 결제 조건의 변경 요구했다. 특별한 문제가 없는데 중간에 계약조건을 변경하는 것은 계약내용 위반이라고 판단한 D사는 바이어의 요구를 거절했다. 그런데 D사가 결재 조건 변경을 거절한 이후부터 바이어는 오더 수량을 조금씩 줄이기 시작하더니 결국 수입을 중단했다. 알고 보니 바이어는 새로운 공급처와 협력하고 있었다. D사는 바이어와 원활 협력관계를 유지하지 못해 결국 시장 진출에 실패했다.

쉼터36 화장품 기업의 실패 II

C사는 기능성 화장품을 생산하는 기업으로 미국 시장 수출에 성공했다. 추가로 신시장을 찾던 중 잠재력이 높은 베트남에 진출하기로 결정했다. C사는 자사 제품이 품질과 디자인 면에서 대기업 제품에 비해서 나쁘지 않다고 생각했다. 그래서 베트남 현지에서 판매되는 경쟁사 화장품의 판매가를 참고하여 수출가를 결정하기로 하였는데 최저가와 최고가 사이인 중간 가격대를 참고하여 수출 가격을 정했다. 바이어가 원한다면 MOQ 기준으로 수출가를 낮춰주기로 결정하였다. 베트남 진출 준비를 마친 C사는 정부가 지원하는 수출상담회와 베트남 현지 전시회도 참가하였다. 그러나 자사가 원하는 베트남의 유명 바이어와는 미팅은 잡히지 않았다. 그래서 어쩔 수 없이 다른 바이어들과 미팅을 가지게 되었다. 몇몇 바이어들이 우리 제품에 관심을 가졌지만 오더 량이 기대에 미치지 못했고 어처구니없게도 마케팅 지원 요청과 독점권을 요청하였다. 당연히 이런 요청은 C사 입장에서는 받아 들일 수 없는 내용이었고 이런 바이어를 소개해준 정부기관에도 불만을 제기했다.

T사는 화장품을 일본에 수출하고 있다. 제품의 품질이 우수하고 가격 경쟁력이 있어서 일본 시장에서 반응이 좋았다. 수출확대를 위해서 신규 시장을 찾다가 한류의 인기가 높은 베트남을 선택했다. 전시회 참가 전 경쟁사 제품에 대해서 조사했지만 품질면에서는 자사 제품이 더 우수하다고 판단했다. 품질에 민감한 일본 시장에서 성공한 만큼 품질로 승부하고자 계획을 세웠다. 그래서 일본 시장과 동일하게 고가격에 고품질로 준비했다. 결과는 어떠했을까? 당연히 적합한 바이어를 찾지 못했다. 베트남 시장에서 유망한 제품은 바로 '저렴한 가격에 적당한 품질'인데 '비싸고 좋은 제품'이 성공 할리가 있겠는가? T사는 베트남 진출에 실패했다.

3. 유아용품 시장 현황과 진출 방안

베트남의 출산율은 2022년 현재 약 2.0명으로, 이는 유아용품 시장이 큰 잠재력을 보유하고 있다는 것을 의미한다. 중국산 제품의 신뢰도가 상대적으로 낮은 반면, 다양한 국가의 유아용품 브랜드들이 베트남 시장에서 활발한 경쟁을 벌이고 있다. 대표적으로 Johnson & Johnson사는 그 브랜드 파워와 현지 공장의 존재로 시장에서 리더의 위치를 차지하고 있다.

베트남의 소비자들은 유아용품 구매 시 브랜드, 원산지, 가격, 품질, 그리고 성분을 중요하게 고려한다. 특히 천연 성분을 사용한 제품은 선호도가 높아, 이런 트렌드를 반영한 제품 개발은 중요하다.

현재까지 한국 중소기업 중에서는 베트남의 유아용품 시장에서 큰 성공을 거둔 브랜드는 없다. 이유는 단기적인 수익 창출을 중점으로 두거나, 영업전략의 부재, 그리고 제품 홍보의 부족에서 기인한다. 따라서 베트남 시장에 성공적으로 진출하려면 단기 수익을 추구하기보다는 장기적인 브랜드 인지도와 신뢰 구축에 초점을 맞춰야 한다.

베트남에서의 성공을 위해서는, 홍보 및 마케팅에 적절한 예산을 투자하며 현지 바이어와의 탄탄한 협력 관계를 구축하는 것이 중요하다. 초기에는 손해를 감수하며 시장에 투자하는 것이 장기적으로 큰 성과를 가져올 수 있다는 것을 명심해야 한다. 이를 위해 지속적인 마케팅 투자와 함께 브랜드 인지도 향상을 목표로 한 전략 수립이 필요하다. 이와 같이 장기적인 시각으로 시장 점유율을 확대하며 브랜드 가치를 높이는 전략이 효과적일 것이다.

1) 유아용품 성공 가능성 높이기

만약 제품이 고품질에 가격이 높으며 제품의 부피도 큰 유아용 제품이 있다고 하자. 사실 이런 제품은 다른 제품에 비해서 상대적으로 베트남 진출이 더 어렵다. 바이어 입장에서 보면 가격이 높으니 조금만 수입해도 자금이 많이 소모되고 부피가 크니 창고 보관료도 더 많이 발생할 것이기 때문이다. 이 브랜드는 시장에서 아직 인지도가 낮아 제품이 소비자에게 전달되는데 까지 최소 6개월 이상 소모될 가능성이 크다. 또 그 기간 동안 제품 홍보를 위한 마케팅 비용도 필요해 바이어 입장에서 특별한 목적이 없다면 수입하기는 매우 부담스러울 수 밖에 없다. 우리 기업이 상기에 언급된 예시와 유사한 점이 있다면 다음의 방법들을 고민해 볼 필요가 있다.

• 저가품을 추가하여 고객에게 선택권을 넓혀주기

• 결재 조건의 바이어에게 유리하게 하여 부담 줄여주기

• 우리 제품 구매 시 마케팅을 지원을 적극적으로 지원하기

• 기업이 직접 진출하여 제품을 베트남에 보관한 후 중간 유통 상에게 제품을 위탁으로 공급하고 브랜드 인지도 향상을 위해서 노력하기

만약 기업이 이런 방안들 중에 어떤 것도 하지 않는다면 우리 제품이 베트남 시장에 성공적으로 정착하기는 쉽지 않다.

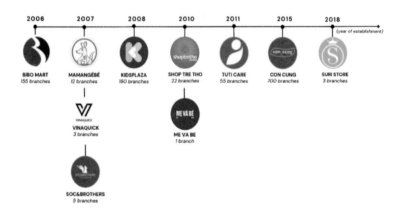

그림8 유아용품 유통기업

4. 자동화 기기 및 기계류 제품의 시장진출 방안

일반 기계나 설비는 베트남으로의 수출에 법적 제약이 없다. 그런데 베트남 시장에서 선호하는 중고 제품의 경우는 원칙적으로 수출이 불가능하다. 외투 기업이 현지에서 설립한 공장에서 제품 생산에 필요한 설비와 같이 특별한 경우에는 예외적으로 수출이 가능할 뿐이다.

베트남의 기계류 시장을 살펴보면 고가와 저가의 제품으로 크게 구분된다. 이 중에서 중국의 기업들은 저가 제품을 가격 경쟁력으로 내세워 시장을 크게 장악하고 있다. 중간 가격대의 제품은 경쟁력을 확보하기 어렵다. 베트남의 바이어들은 일본 제품을 최상의 품질로 평가하며, 대만과 한국의 제품을 유사한 품질로 본다. 한국산 제품이 실상은 일본산 못지않은 품질이라는 '우리만 아는 진실'은 베트남에서는 무의미하다. 이런 인식은 오랜 시간 동안 형성되어 왔기 때문에, 단기간에 변경하기는 어렵다.

1) 시장 진출 방안

기계류 제품 판매를 위해서는 바이어에게 제품을 소개할 때 해당 분야에서 깊은 경험과 지식을 갖춘 직원이 필요하다. 이를 위해 현지 법인 설립과 영업 활동이 효과적이다. 그렇지 않다면 전시회를 통해 바이어를 만나는 기회를 얻을 수 있다. 전시회에서는 바이어와의 초기 미팅에서 이익을 중심으로 접근하기보다는 장기적인 협력 관계 구축을 목표로 해야 한다. 이를 위해 바이어에게 최적의 가격과 서비스를 제공하며, 제품의 경쟁력을 보여줘야 한다. 한번 제품이 현지에서 사용되기 시작하면, 그 다음부터는 수출이 더욱 용이하다는 사실을 기업이 기억할 필요가 있다. 또 한국의 제품의 품질과 가격 경쟁력을 베트남에서 증명하는 것은 중요하다. 이를 위해 제품의 장점을 잘 보여주는 자료와 영상이 필요하다. 이런 자료를 활용하여 아직 수입을 진행하지 않았더라도 제품에 관심을 보인 바이어와의 협력관계를 구축하는 것이 중요하다. 어떤 제품이든 수명이 있기 때문에 기존 제품에서 다른 제품으로 변경해야 하는 시점이 온다. 그 시점에 제품을 판매하려면 현지에서 협력하고 있는 바이어의 존재가 매우 중요하다. 이런 협력 관계는 단기간에 생기지 않기 때문에 많은 시간과 노력이 필요할 것이다.

5. 화학제품 및 첨가제 시장 진출 방안

화학제품과 첨가제는 다양한 제품 생산 공정에서 중요한 역할을 한다. 이러한 제품들은 생산 프로세스의 초기 단계부터 최종 단계까지 기업의 정해진 절차에 따라 사용된다. 그렇기 때문에, 이미 정해진 공정 내에서 사용되는 원료나 첨가제를 다른 것으로 대체하는 것은 간단하지 않다.

이렇게 고정된 생산 프로세스에서는 특별한 상황에서만 우리 제품으로 대체할 수 있는 기회가 발생한다. 예를 들면, 기존의 원료에 문제가 발생하였을 때나 새로운 제품을 개발하면서 새로운 원료가 필요할 때이다. 이러한 기회를 잡기 위해서는 미리 현지 에이전트와의 협력 관계를 구축하고 준비하는 것이 중요하다. 다행이 최근에는 중국산 저가 제품으로는 더 이상 시장의 니즈를 충족시킬 수 없기 때문에 원료나 첨가제를 변경하기를 원하는 기업들이 점점 늘어나고 있다.

그래서 기업은 먼저 준비를 하고 있어야 한다. 우리 기업은 현지 에이전트와의 협력을 통해 시장에 대한 정보와 기회를 얻을 수 있다. 또한, 에이전트를 통해 시장의 반응과 수요를 파악하고, 제품의 공급을 준비할 수 있다. 이를 위해, 에이전트에게 무상이나 최소 비용으로 제품을 제공하면서 장기적인 협력 관계를 구축하는 것이 좋다.

그러나, 베트남의 에이전트는 비즈니스 진행과정에 있어서 정보 공유를 충분히 하지 않는 경우가 많다. 따라서, 원활한 비즈니스 진행을 위해선 이러한 문제점을 인지하고 적절한 대응 방안을 마련해야 한다. 최종적으로, 기업이 직접 현지에 진출하는 것이 가장 좋지만 그렇지 못한 기업들에게는 현지 에이전트와의 협력을 통해 시장에 진출하는 것은 가장 현실적이고 가능성이 높은 방안이다.

맺음말

베트남 시장은 투자대비 효율이 낮으며 그 효율조차 단기간에 나오지 않는다. 그래서 베트남만 바라보고 수익을 기대하는 기업이 있다면 다른 시장을 발굴하는 것이 더 좋을 수 있다. 베트남이 다른 동남아 국가들에 비해서 상대적으로 블루오션 것은 맞지만 기업들을 위험에 빠뜨리는 덫들이 곳곳에 도사리고 있다. 결국 이런 덫들을 잘 돌파한 기업들이 성공적으로 베트남 시장에 진출할 것이다.

우리는 성공한 사람을 보고 그의 성공을 부러워하지만 그가 성공에 이르는 과정에서 겪은 많은 문제들이나 어려움에 대해서는 큰 관심이 없다. 또 우리는 실패한 사람에게도 관심이 두지 않기 때문에 그가 어떤 과정들을 거쳐서 실패에 이르게 되었는지 알지 못한다. 그러나 그들의 겪은 이런 경험들이 우리가 어떻게 활용하느냐에 따라서 매우 값진 보배가 될 수 있다. 그래서 필자는 독자들이 알기 쉬운 기업의 성공 사례들 보다는 상대적으로 알기 어려운 실패 사례들을 독자들과 공유하기를 원했다. 물론, 책에서 언급된 사례들의 실패원인이 주요한 실패의 원인이 아닐 수 있고 또 그것들이 전부라고 할 수도 없다. 실패는 많은 요인들이 복합적으로 작용해서 나타난 결과이기 때문이다. 그러나 필자가 사례들 속에서 언급한 원인들이 그들의 실패에 작든 크든 영향은 끼친 것은 분명한 사실이다.

지금 이시간에도 누군가는 '나는 그들과 다르다. 우리 제품은 그들의 제품과 다르다'라는 생각을 가지고 베트남 시장에 도전하고 있다면 그도 실패할 가능성이 높다라는 사실을 기억해야 한다. 이 책에서 언급된 정보와 실패한 사례들을 통해서 가능한 많은 기업들이 베트남 시장에 성공적으로 진출하기를 기원한다.

마지막으로 재미없고 엉망인 이책의 수정까지 도와준 아내와 존재자체가 감사한 두 아들에게 고마운 마음을 전한다.

중소기업을 위한 베트남 진출 전략

베트남 진출, 정말 준비되어 있나?

발행일 | 2023년 12월 6일

지은이 | 박경철
펴낸이 | 마형민
기 획 | 박소현
편 집 | 김현주
펴낸곳 | (주)페스트북
주 소 | 경기도 안양시 안양판교로 20
홈페이지 | festbook.co.kr

ⓒ 박경철 2023

ISBN 979-11-6929-421-8 13320
값 15,000원

* (주)페스트북은 '작가중심주의'를 고수합니다. 누구나 인생의 새로운 챕터를 쓰도록 돕습니다. Creative@festbook.co.kr로 자신만의 목소리를 보내주세요.